KB084373

적당히 솔직해진다는 것

머물다 가는
시간에게

차례

프롤로그

적당히 솔직해진다는 것

스물네 살에 교사 일을 시작하고 가장 진 땀이 났던 순간은 동료의 질문에 적당히 솔직 해져야 할 때였다. 교사의 연령층은 20대에서 60대를 아울렀기에 대화의 주제는 꽤 다채로 웠다. 거기까진 괜찮았다. 다음이 문제였다. 그 들의 이야기 소재가 떨어지면 갑자기 내게 선 을 넘는 질문이 날아왔다. 진짜 관심이 있어서 온 말이 아니었다. 그저 시간을 때울 팝콘 같 은 이야기를 건지기 위함이었다. 어쩜 하나같 이 피하고 싶은 질문들이었다.

"아버지는 뭐 하시고? 어머니는 교사신가?"

"아버지는 무직에 알코올 중독으로 병원에 서 요양 중이고요. 어머니는 장사하시는데요."

"그래서 집에 돈은 좀 있고? 교사 월급 가

지고 살림 꾸리기 힘들 건데…."

"살림 꾸릴 생각도 없지만, 제 없는 살림에 보태주시게요? 오. 대박."

20대의 나는 이렇게 말하지 못했다. 평범하게 대답하지 못하는 게 꼭 내가 못난 탓 같았다. 애써 괜찮은 척하다가 곧 울 것 같은 표정으로 얼어버렸다. 참 놀리기 쉬운 사람이었다. 앞으로 올 무례함에 의연하게 대답하는 사람이 되고야 말겠다고 다짐하며, 답을 연습하는 날들을 지났다. 어느새 경력 12년차 교사이자 30대 중반이다. 이제는 상대의 눈을 똑바로 바라보며 여유롭게 대답할 수 있다. 정말 답 없는 물음에는 경멸을 담은 눈빛에 옅은 미소를 섞어서 가만히 바라만 보기도 한다. 요즘엔 이런 질문을 실례로 여기는 분위기라 다행이다.

솔직해지는 게 어려웠다. 그깟 자존심이 뭐라고, 유복하게 자란 척 거짓말을 하자니 찝찝했다. 어디까지 솔직해야 듣는 이도 계속 웃고 있을까. 짐작이 안 갔다. 웬만한 불행도 웃으며 이야기하는 우리 가족처럼 이들도 내 솔직함에 웃을 수 있을까. 솔직하고 싶은데 솔직할 수 없음이 답답했다. 스스로를 초라하게 여긴다는 것을 다른 사람에게 들키기 싫었다. 답답함과 자존심을 저울질하며 적당히 솔직한 대답을 고민하는 날이 늘어갔다. 대답하지 않는 것도 방법이었는데 그땐 그걸 몰랐다.

같은 이유로 긴 글쓰기를 미뤄왔다. 함축과 은유로 나를 숨길 수 있는 시나 노래 가사를 쓰는 편이 좋았다. 그저 이건 노래에 불과하다는 듯 위장을 하고선 노래에 내 진짜 마음을 숨겨 부르면 되었다. 내 마음에 딱 맞는 노래를 찾기 어려운 날에는 기타를 잡고 노래를 만들었다. 오선지에는 비슷한 결의 마음들만 알아챌 수 있을 암호 같은 가사와 코드를 넣었다. 말하고 싶지만 들키고 싶지는 않은 내 이야기를 노래로 전하고 싶어서였다. 공연장 안 관객들과 이야기를 나누다 마음이 동하는 날엔 솔직한 나를 털어놓기도 했다. 말과 노랫소리는 공중에서 흩어지니까 좋았다. 적당히 솔직해지는 방법이 있어서 다행이었다.

그러다 반환점을 맞았다. 평소 좋아하던 김화진 작가님이 에세이 쓰기 모임을 연다는 소식을 듣고서였다. 덜컥 신청부터 했다. 팬심에 펜을 들 생각을 하다니. 나를 소재로 긴 글을 써낼 수 있을지 걱정이 앞섰다. 에세이 숙제의 첫 주제는 '나의 어린 시절'이었다. 어린 시절의 기억들은 상처받은 크기대로 나란히 줄을 서서 글로 쓰일 차례를 기다리고 있었다. 그 차례를 건너뛰고 고른, 적당히 솔직한 글감으로는 한 문장도 쓸 수 없었다. 새치기한 글감들을 탈락시키길 여러 번, 분했다. 뼛속부터 모범생인 내가 겨우 글 한 편을 내지 못하다니. 숙제도 안 한 주제에 작가님을 만나고 싶은 마음에 모임에는 계속 나갔다.

열패감을 이겨보고 싶은 오기가 생겼다. 모임을 다시 신청했다. 글 한 편 완성하기를 목표로 삼았다. "저 숙제했어요!"라고 말하며, 작가님에게 내 글을 보여주고 싶었다. 거울을 보며 자화상을 그리듯, 우선 스스로를 자세히 들여다보며 글쓰기를 시작했다. 쓸까 말까 망설여지는 기억을 만났을 때는 스케치하듯 일단 써봤다. 쓰고 나니 별것 아니었다. 쓴 부분이 마음에 안 들면 백스페이스키로 지우면 되는 간단한 일이었다.

엉킨 실타래를 풀듯 뒤얽힌 기억을 헤집다 보니 이야기들이 솟아났다. 기억들은 어떻게든 이어져 있었다. 흩어져 있는 단어의 조각들로 퍼즐을 맞추다 보니 신기하게도 한 편의 글이 만들어졌다. 내 것이라 애정이 생겼다. 소리 내 읽어보기도 했다. 글은 공중에서 흩어지지 않고 온전히 종이에 남아 있었다. 다른 사람에게 글을 보여주고 읽어줄 수 있는 용기도 생겼다. 글을 나누고 싶어져서 부비프책방의 글방에 등록했다. 내 솔직함을 읽은 글방 친구들은 아직 세상에 나오지도 않은 책의 독자가 되어주겠다고 했다. 약속한 책을 진짜로 건네고 싶어서 매주 글을 썼다. 당신이 읽고 있는 이 책은 안화용에 대해 적당히 솔직하지만은 않은 글들을 모은 것이다.

1부

이미 지나간

이불로 만든 기차

　　방학이면, 우리 자매는 안산 할머니 댁에 맡겨졌다. 경남 마산에서 경기도 안산까지는 차로 꼬박 다섯 시간 넘게 걸렸다. 가난한 살림을 돌보느라 바빴을 부모님 대신 할머니, 할아버지는 우리를 성실하게 돌봐주었다. 가끔은 장을 보거나 교회를 가는 등의 볼일을 보러 집을 비울 때도 있었다. 동생 지용이와 나는 은근히 그들의 긴 외출을 기다리곤 했다. 이불기차를 만들고 싶어서였다. 모래성을 쌓듯 쓰러뜨린 의자 위에 두꺼운 이불을 꼭꼭 눌러 덮고 온 집안의 전등을 끄면, 우리만의 작고 아늑한 세계인 이불기차가 완성되었다. 포근한 기차 칸 안에서 따뜻한 색의 손전등을 비추고는 서로의 눈을 마주치며 웃었다. 이불 밖 세상이 우리가 원하는 대로 되어가고 있을 거라

적당히 솔직해진다는 것

고, 우리 가족은 언제 그랬냐는 듯 행복해질 거라고, 작은 소원들을 빌기도 했다. 차원을 넘나들듯 이 의자에서 저 의자로 옮겨 타는 중에는 그 소원들이 실제로 이루어지는 기분도 들었다. 그땐 이게 마치 우리 둘만 입장할 수 있는 파티라고 생각했지만, 이젠 안다. 그건 지금보다 더 큰 불행만은 일어나지 않길 바라는, 우리만의 작은 의식이었다는 것을.

어른들에게서 버려진 것만 같은 시간은 결코 만만하게 흐르지 않는다. 여유롭게 천진난만한 상태로 머무를 수는 없다. 그땐 왜 우리가 어린아이라는 이유로 영영 버려질 것 같았는지. 엄마아빠의 사이가 이대로 영영 멀어져서 우리 모두 제각각 흩어질 것 같은 예감 때문이었다. 세상에서 제일 사랑하는 사람과 헤어지고 만나길 반복하는 시간 동안 우리는 잠시 슬퍼하고 곧 원래 상태로 돌아오는 요령을 가지게 되었다. 어린아이 둘이서 서로를 위로하는 것만으로 괜찮아지려면 하나의 규칙을 지키는 게 중요했다. 한 아이가 울 때 다른 아이만큼은 울음을 꾹 참는 것이었다. 금방이라도 돌아오는 발걸음이 들릴 것이고, 우리 가족도 감쪽같이 함박웃음을 짓게 될 것이라는 마음으로 견뎠다. 소원을 소리 내 말할 만큼 순진하지는 않았던 어린아이들은, 무구한 눈빛을 서로에게 보낼 뿐이었다. 순간을 견딜 만큼, 딱 그 정도만큼의 위로를 우린 이미 할 줄 알았다.

어릴 때나 지금이나 걱정이 생기면 이불 속으로 숨게 된다. 가오나시*처럼 이불 속에서 몸을 넣고 빼며 뾰족한 마음들을 둥그렇게 사포질한다. 암흑처럼 시커먼 내 속이 반들반들하게 윤이 나고 부드러워지는 느낌이다. 걱정, 불안 따위에서 윤이 나봤자겠지만 그래도 좀 더 쓸모 있는 돌이 되지 않을까. 속이 까맣게 타들어간 부분을 다 긁어냈다가는 내가 도리어 깎여나갈 것이다. 내가 안전할 정도로만

* 영화 〈센과 치히로의 행방불명〉의 등장인물. 몸이 망토 같고, 늘 가면을 쓰고 있다.

적당히 솔직해진다는 것

다듬어서 이리저리 모양새라도 내보는 것이다. 마음속의 파도를 재우며 돌을 가라앉히다 보면 내면이 밤바다처럼 고요해진다. 반짝반짝 빛나는 검은 돌들이 심연으로 가라앉고 또 가라앉는다. 천천히 마음의 중심을 잡는다. 물이 맑아지면 걱정과 불안이 제대로 보일 것이다. 내 마음속 검은 바다는 작고 아늑하다. 우리 자매가 머물던 이불기차 칸, 그 작은 세계와 닿아 있다. 물론 이 세계에 초대된 사람은 오직 두 명뿐. 이불기차가 데려다준 지금에도 우리는 종종 어린 눈빛으로 서로의 평화를 부른다. 칠흑 같은 어둠은 봉인해두고, 사랑만을 불어넣은 주문을 외우며.

눈에게 바치는 고백

　　어렸을 적 경상남도 마산 우리 집 안마당에 눈이 오던 날은 손에 꼽을 만큼이었다. 땅에 닿기도 전에 녹아 사라지는 진눈깨비도 눈으로 쳐줄 정도로 우리는 눈의 기준에 후했다. 한때 눈이었을 얼음을 모아, 눈사람이 되고 싶었을 얼음사람을 만들곤 했으니까. 강원도에서 젊은 시절을 보내다가 피치 못할 사정으로 남쪽 지방에 터를 잡게 된 엄마는 늘 눈을 그리워했다. 하늘에서 내리는 눈을 보면서도 북쪽을 떠올리는 엄마의 눈망울을 보면서 나는 기억도 나지 않는 태생적 고향을 떠올려보곤 했다. 내가 태어난 곳의 정취를 기억하지 못하면서 향수를 느끼는 기분은 어쩐지 쓸쓸한 일.

　　경상도를 떠나 서울 인근 어느 도시에 산

것도 벌써 네 번째 해다. 눈이 내리면 이 눈을 어찌 치우나, 하는 생각에 귀찮은 기색이 역력한 사람들 사이에서 나는 몰래 눈에 대한 사랑을 느낀다. 눈이 하늘에서 내려오는 걸 보거나, 그 눈이 땅바닥에 정직하게 쌓여가는 것을 보고 있으면, 하얀 눈에 내 손과 발이 씻기는 기분이 든다. 슬며시 미소가 지어지기도 한다. 사랑에 빠지는 상태라고 형용할 수밖에. 담백하고 간단한 글을 쓰는 걸 좋아하는 내가 오늘처럼 느끼한 고백 편지를 눈에 바치고 싶어지는 것은 단연코 눈에 대한 사랑 때문이다.

내가 쓰는 문장에 화답이라도 하듯 카페 창문 밖에선 더 거세게 눈보라가 친다. 겁먹은 다람쥐처럼 몸을 잔뜩 웅크리고 지나가는 어른과 환호하며 눈을 반기는 어린아이의 모습이 대비된다. 면허는 있지만 일터가 집에서 가깝다는 이유로 운전을 미루어온 덕인지 나는 어린아이의 마음에 더 가까워져버리고 만다. 눈이 와서 도로가 엉망이 되어도 내 마음은 그저 신날 뿐이다. 커다란 눈사람도 만들고 싶고,

눈싸움도 잔뜩 하고 싶고, 눈에 풀쩍 드러눕고
싶고, 떨어지는 눈송이도 먹어보고 싶다. 사랑
하는 사람과 눈보라 속에서 입맞춤도 하고 싶
은데 그건 좀 부끄러우니 아무도 없는 설원에
서라면 할 수 있을 것 같다.

눈 위를 걷다 보면 내가 빙상 위의 스케이
터가 된 것만도 같다. 눈이 넉넉히 쌓인 곳에서
는 설인처럼 당당하게 위풍을 자랑하며 한 걸
음씩 내디딘다. 바닥이 비쳐 보일 만큼 눈이 얇
게 깔린 곳에서는 징검다리를 건너듯 깡충깡
충 걸어본다. 빙질을 확인하고 기술을 선보이
는 스케이터만큼이나 날카로운 눈빛으로 매섭
게 눈을 판단한다. 한 번도 미끄러지지 않고 집
건물 로비에 도착하면 왠지 뿌듯하다. 따스한
공기가 감도는 엘리베이터 안에서 나의 얼음
위 스케이팅을 복기해본다. 그리고 다음 연기
를 선보일, 또 다른 눈 내리는 날을 고대한다.

눈이 좋다.

적당히 솔직해진다는 것

도서관 속으로

나는 도서관이 왜 이렇게 좋을까. 자료실에서 작게 웅성거리는 사람들의 숨은 음성, 책들이 가득 쌓여 있을 때만 맡을 수 있는 종이 냄새, 천장까지 닿을 듯 높게 자리한 책장, 그 틈새로 보이는 사람들의 실루엣, 모든 경계를 내려놓고 온전히 책상에 무게를 의지하고 있는 누군가의 뒷모습, 더운 여름 외로운 나무 그늘 아래에서 당장에 목을 적셔줄 음료 자판기까지도. 그냥 좋아하게 되고 마는 것이다.

고요하고 안전한 사람들 속에 있기 위해 칠팔월 땡볕 여름 더위에도 등줄기에 땀을 흘려가며 오르막길을 걸었던 중고등학생 시절이 떠오른다. 마산 사람들은 회원도서관의 오르막길을 틀림없이 알 것이다. 오로지 효율성만을 목적으로 지어진, 그 엄청난 경사를 등반해야만 도서관에 도착할 수 있다. 올라갈 땐 힘들어도 책을 잔뜩 읽거나 빌려 내리막길을 뛰어 내려가는 건 또 그렇게 신날 수가 없다.

도서관은 늘 나를 조건 없이 받아주었다. 가정불화로 혼란스러웠던 집 밖의 피난처가 되어주었다. 그곳에는 이유 없이 나를 나무라거나 시끄럽게 자신의 신세를 한탄하는 어른이 없었다. 평화가 그곳에 있었다. 대학생이 되어서도 마찬가지였다. 도서관 근로장학생 알바를 하는 행운을 누리게 되면서였다. 4학년이었던 당시, 친구들은 임용 공부에만 매진하던 시기였다. 그땐 임용고사가 3차까지 있을 때라 수강해야 하는 강의료 부담이 컸다. 공부에만 매진해도 떨어질 수 있는 시험이라 따로 시간을 내어 일을 하는 것에 대한 부담이 컸다. 그래도 그 시간이 마냥 쓸쓸하게만 느껴지지 않았던 건 다른 곳도 아닌 도서관에서 일했기 때문이었다.

적당히 솔직해진다는 것

나의 재미는 다음과 같은 것이었다. 사람들이 빌려 간 책을 제자리에 놓다가도 책이 재미있어 보이면 선 자리에서 책을 읽고, 신간이 나오면 아무도 모르는 곳에 숨겨놓고 못 찾는 척 교직원 선생님 앞에서 꾀를 부렸다. 책 카트를 정리하는 척 사라져서는 도서관 귀퉁이에 숨어 책을 읽기도 했다. 공부에만 매진하는 친구들과 달리 일을 해야 하는 우리 집 형편에 괜히 심술이 나서는 한 달 근무 시간을 채우는 내내 뾰로통한 표정으로 서 있을 때도 있었다. 근로장학생을 할 수 있게 된 행운에 감사할 줄 모르는 철부지였다. 그때를 떠올리면 부끄러운 마음이 든다.

도서관 교직원 선생님들은 이런 나조차도 따뜻하게 대해주셨다. 커피 믹스를 종이컵에 뜨거운 물과 함께 부어 얇게 만 커피 봉투로 휘휘 저은 것을 건네주시며 오늘의 안부를 물어봐주셨다. 아마 내 표정에서 다 티가 났을 거다. 시험 준비로 조급한 내 마음을 어떻게 알아차리시고는 반납된 책 정리를 천천히 해도 된다고 하셨다. 그리고 도서관에 비치된 공용 컴퓨터로 임용 강의를 들으라고 말해주셨다. 시간이 흐를수록 선생님들의 배려가 더욱 감사하게 느껴지는 건 도움받는 이가 부끄럽지 않게끔, 티 나지 않게 조금씩 도와주셨다는 거다. 선생님들의 나이에 가까워질수록 그들의 깊은 마음을 깨닫게 된다.

못 본 찰나 내가 찜해둔 책을 누가 집어 갈까 봐 다람쥐 도토리 모으듯 한아름 책탑을 쌓아가며 평화를 찾았던 열일곱 살의 나. 도서관 교직원 선생님들 옆에서 티 나지 않는 도움을 받았던 스물세 살의 나. 잡생각이 들 때마다 도서관에 놓인 책등을 쓸어만지며 마음의 평화를 찾는 서른다섯 살의 나. 도서관은 그때도 지금도 가난한 내 마음에 기꺼이 이야기를 내어준다. 어떤 모습의 나라도 차별 없이 활짝.

적당히 솔직해진다는 것

내가 도착한 곳은 어디인지

열여덟 살 학교 축제 전시회에 문학작품을 내야 했다. 어떤 글을 낼까 고민하다가 김동리의 단편소설 「역마」를 읽고 동명의 독후시를 냈다. 평생 한 곳에 정착하지 못하고 떠돌며 살아야 하는 「역마」 속 엿장수에게 마음이 가서였다. 엿가위를 차고 세상천지를 떠돈다는 건 어떤 기분일지 상상만 해도 설렜다. 어떤 이유로든 고향을 떠날 수 있는 주인공의 삶이 부러웠다. 왠지 모르게 쓸쓸해 보이는 문장을 만났을 때는 콧등이 시큰하기도 했다. 순간 여러 감정에 벅차올라 써내려간 시였다. 난 이걸 엄마에게 철도 없이 신이 나서 보여줬더랬다. '하이고 어매야 내는 갈란다'라는 시구가 반복되는 시를.

역마(驛馬)

하이고 어매야 내는 갈란다
저 오색빛 능선을 타고 가믄
많은 길이 내를 부를 긴데

발길 닿는대로
바람처럼 유수처럼
내는 갈란다

외로움보다 무거운
엿판 지고
물먹은 발걸음 뗄 터이니

챙
챙
슬플수록 신명나는 엿가위 차고
내는 갈란다

육자배기 가락
흥얼거리믄서
하이고 어매야 내는 갈란다

직당히 솔직해진다는 것

그땐 이 시가 엄마의 마음을 그렇게까지 슬프게 할 줄 몰랐다. 나중에야 엄마가 말해주었다. 장삿일을 하는 중에 틈틈이 이 시를 꺼내보며 눈물을 훔쳤다고. 우리 딸이 가족을 떠나고 싶은 마음은 그래도 물먹은 발걸음에서 비롯됨을 다행이라 여겼다가도, 그 발걸음을 어떻게든 떼어 가족에게서 멀리 떠나고 싶어하는 속내에 엄마의 마음이 덜컹 내려앉았다고 했다. 이 시를 읽으며 엄마는 얼마나 많은 회한을 삼키고 미리 이별했을까. 그럼에도 내 앞에서 시를 참 잘 썼다고 칭찬해주었던 깊은 헤아림을 짐작조차 할 수 없다.

대학을 다니고 일을 하면서 그새 많은 길을 돌고 돌았다. 마산, 춘천, 대구 그리고 경기도. 오색빛 능선을 따라 결국은 엄마가 있는 고향에서 더 멀리 왔다. 가족 틈에 있어도 외롭다는 핑계로 떠나고 싶어 했으면서, 정착지에서 나는 되려 가족을 그리워하고 있다. 무얼 얻겠다고 홀로 떨어져 나와, 그들이 없는 곳에서 가족에 대한 글을 쓰고 있는 걸까. 분명 추억하려 멀리 온 게 아니었는데. 가끔 엄마가 좋아하는 노래 '갈색 추억'을 엿장수의 육자배기 가락마냥 흥얼거리곤 한다. 그럴 때면 엿판 지듯 무겁지만 떠나려는 마음으로 이 시구를 쓸 때의 내가 낯설게 느껴진다.

'하이고 어매야 내는 갈란다'
이 구절은 진짜 내 마음이었을까. 챙- 챙-.

적당히 솔직해진다는 것

고향, 반겨주는 이가 있는 곳

겨울방학을 했다. 마산 집에 갈까 말까 고민하는 나를 보던 마산 친구 서연이가 말했다.

"야, 이 무심한 친구야. 그러지 말고 집에 빨리 가라. 어무니가 니 음청 보고 싶어 할 끄다."

아, 맞다. 울 엄마가 날 그리워하고 있겠구나. 나만 생각하느라 그걸 까맣게 잊고 게으름을 피우고 있었다. 서둘러 기차표를 끊었다. 서울역의 좁은 의자에 앉아 집에 내려가길 손꼽아 기다리던 사람인 것처럼 엄마에게 연락했다.

"저 내려가요."

집은 집인데 내려가다니. 나도 어느새 서울 사람처럼 생각하나 보다. '집에 가다'라고 하면 될 것이었다. 마산에 가까워질수록 진해지는 경남 사투리를 들으니 온몸에 긴장이 풀렸다. 꾸벅꾸벅 졸다 보니 어느새 새벽 한 시를 지나 마산역에 도착했다. 한밤에 울 엄마가 밤길 무서운 줄도 모르고 나를 마중 나와 있었다. 엄마의 낮은 어깨 위에 손을 두르는데, 나처럼 커다란 사람을 낳은 몸이 너무 작게 느껴져서 슬펐다. 건물을 빠져나오자 서울보다 훨씬 따뜻한 남쪽 지방의 공기가 나를 반겼다.

"엄마 언제 와 있었대요?"

"딸 보고 싶어서 30분 일찍 와 있었지. 혹시나 기차가 빨리 도착했을 수도 있잖아."

"아휴, 엄마. 아무리 빨라도 그렇게 일찍 안 도착해요."

엄마의 묵은 그리움들이 이른 도착 시각에서 느껴졌다. 교사 딸이 방학해서 만나게 될 때까지 보고 싶다는 말을 삼켜왔을 터였다. 울 엄

적당히 솔직해진다는 것

마의 어깨에 팔을 두른 채 시장길을 지나 집에 도착했다. 평소에는 동생 집에 사는 라떼*가 내가 온다고 엄마 집에 와 있었다. 날 보고 라떼는 신이 났다. 냄새를 킁킁 맡아댔다. '오래 못 본 동안 여기저기 많이도 갔나 보군. 신기한 냄새가 나네.' 같은 생각이라도 하는 건지 호들갑을 떨었다. 라떼의 침을 얼굴에 흠뻑 묻히고 나니 그제야 집에 왔다고 느꼈다. 나를 반겨주는 이가 있는 곳이 정말 집이고 고향이구나. 마산 집과 여기의 내 사랑들이 반갑고 귀하게 여겨졌다.

안방에 들어갔더니 웬걸, 엄마표 미니 슈퍼가 차려져 있었다. 서른을 훌쩍 넘긴 큰딸이 아직도 어리게만 보이는 건가. 아니면 어릴 적 가난한 형편에 맘껏 사주지 못했던 과자를 이제서야 사주고 싶었던 걸까. 엄마는 커다란 하얀 바구니에 과자를 종류별로 그득 담아 방 귀퉁이에 마치 꽃바구니처럼 두었다. 괜히 쑥스

* 아홉 살, 포메라니안 믹스견. 흰색

러워진 나는 과자 비닐을 뽀시락뽀시락 만지거나, 라떼 등을 여러 번 쓰다듬고, 둥글둥글한 엄마를 품에 쏙 안기도 하고 그랬다. 반갑고 고마운 만큼 꼬옥.

고향에 오면 엄마와 라떼의 나이를 실감하게 된다. 이렇게 말하면 둘 다 서운해할지도 모르겠지만 생물학적으로 엄마는 노년을, 라떼는 중년을 지났다. 나는 내 사랑들을 몇 년이나 더 볼 수 있을까. 내 사랑들은 나를 몇 년이나 더 기다리며 살까. 이런 생각이 들 때마다 고향에 자주 내려와야겠다고 생각한다. 사랑을 마주하는 시간들이 너무나 귀하고 소중하다. 서로를 기다렸던 긴 시간을 느낄 때마다 엄마를 부른다. 괜히 혼자서 할 수 있는 일들을 엄마의 몫으로 미루어보기도 하면서.

"엄마, 칫솔 어디 있어요? 나 배고파요, 헤헤. 엄마, 사랑해요."

아참, 라떼는 안 불러도 이미 곁에 와 있다.

적당히 솔직해진다는 것

피자집 인턴기

스무 살의 여름방학에 피자집에서 일하게 된 건 내 몫을 벌어 오라는 엄마의 특명 때문이었다. 과외를 구하려 전단도 만들어서 뿌리고 다녔지만 나보다 더 뛰어난 명문대생에 밀려 시장에 투입조차 되지 못했다. 애꿎은 문어발 전단들만 전봇대에서 몸을 말리다 때가 되면 구인, 셋방살이 같은 다른 전단에 덮였을 뿐. 당신들의 자녀는 사실 공부를 못하는 게 맞다며 매서운 팩폭을 원투, 원투 날리는 과외 광고 문구가 먹힐 리도 없었고.

과외가 구해지지 않아 이참에 여름방학을 놀면서 보내볼까 싶었지만, 현실이 눈앞을 교차했다. 교대는 어느 대학교보다도 실습수업이 많았다. 학자금 대출도 갚고, 실습비도 내고, 교생실습 때 입을 옷도 사려면 나는 노동을 해야 했다. 미소를 지을 줄도 모르고 숙련된 노동 기술도 없던 내가 시급이 높은 알바를 구하기란 쉽지 않았다. 점주들은 이력서를 들고 벌벌 떠는 내가 뜨내기라는 걸 한눈에 알아차렸다. 내게 허락된 일은 피자집 서빙, 그것도 최저시급마저 다 받지 못하는 인턴 자리뿐이었다.

왜 그 자리가 남아서 알바를 해본 적도 없는 나에게까지 왔을까. 그 답은 일을 시작해보니 점차 알 수 있었다. 매니저는 내가 하루 동안 해야 할 일의 목록을 알려주었다. 음식물이 짓이겨져 눌어붙은 바닥과 테이블을 쓸고 닦고 남녀 화장실 두 곳을 청소할 것. 식기세척기에서 뜨끈한 샤워를 하고 나온 식기류의 물기를 얼룩이 남지 않게 닦을 것. 샐러드바를 각종 샐러드와 간식류로 채우고 탄산음료 가스통에 탄산가스가 충분한지 콜라를 조금 따라 맛도 볼 것. 되도록 피자와 음료로 식사 및 식수를 대신할 것 같은 것들. 듣기엔 학창 시절 청소 구역을 맡아 하는 것과 다르지 않았고 그냥 하면 될 줄 알았다. 여느 일이 그렇듯, 여기에 적히지 않은 일의 목록이 있을 줄은 생각도 못 했지만.

일단은 누군가가 이미 입었는지 기름 냄새가 밴 유니폼을 입고 매장 안에 우두커니 서 있는 것부터 창피해졌다. 이렇게 내가 전시되는 느낌일 줄 알았다면 집에서 먼 곳으로 일을 구할 것을. 내 이웃들이 돈을 지불하고 서비스를 원하는 가게에서 막상 마네킹처럼 서 있는 게 이렇게까지 불편할 줄은 예상하지 못했다. 괜히 부끄럽고 수치스러운 마음에 매장 천장 모서리에 있는 티브이만 뚫어지게 봤다. 그러다 일에 집중하지 않고 티브이만 본다고 매니저에게 혼이 났다. 그 이유는 아니라고 말하려다 더 혼날 것 같은 직감에 입을 다물었다.

다음은 저 알바생은 왜 웃질 않냐고 어느 손님의 지적을 받았다. 삿대질은 덤이었다. 내가 웃지 않아서 피자가 입으로 들어가는지 코로 들어가는지 모르겠다고 했다는데, 아까 서빙한 피자는 그럼 누구 배 속으로 사라진 건지 황당하기가 짝이 없었다. 저 사람은 맛있게 잘만 먹었는데 괜히 돈 내기 싫어서 나한테 딴지 거는 것 같다고 맞는 말을 했다가 부점장한테 한 소리를 들었다. 주방 안으로 나를 부르더니 테이블에 가서 사과하고 오라고 했다. 그때 처음 배웠다. 돈을 버는 곳에선 미안하지 않은 사람에게 사과해야 하는 일도 가끔 생긴다는 걸. 내가 받는 시간당 3,400원 만큼의 사과를 할 줄 알아야 한다고. 사과를 하고 나선 화장실에 가서 기름진 앞치마로 눈물을 닦았다. 지는 기분이 이런 거구나, 하고 생각했다.

무거운 그릇을 나르다 손에 힘이 빠진 나머지, 하루 일당이 족히 넘는 값비싼 피자 한 판을 바닥에 쏟았다. 그 순간 피자만 오매불망 기다리고 있던 테이블의 손님들과 눈이 마주쳤다. 내가 바로 눈치를 살핀 건 점장의 표정. 파이터 김동현을 닮은 외모의 점장은 내게 버럭 소리를 질렀다. 순간 눈물이 났다. 점장이 소리 지른 게 무서워서가 아니었다. 이렇게 높은 강도로 열 시간은 일해야 벌 수 있는 돈을 월급에서 까이

적당히 솔직해진다는 것

게 될 거라는 생각 때문이었다. 다행히 혼나기만 했지만, 과소비를 한 날이면 열 시간의 노동을 순식간에 까일 뻔한 그날을 떠올리게 된다.

최저시급도 못 받는 서러움을 그때 배웠다. 마음이 해이해진 것만 같을 때는 피자를 소울푸드로 먹는다. 억지로 웃어야 하고 사과해야 해서 학교를 때려치우고 싶을 땐 스무 살 때 내가 지어 보인 시급 3,400원 만큼의 미소와 사과를 떠올린다. 그리고 내 현재 시급을 계산해본다. '그래, 이만큼만 웃어주고 미안한 척해 준다.', '피자집 인턴보다는 여기가 낫다.'는 생각으로 말이다. 피자집에서까지 인턴제라니. 우리나라는 진짜 지독한 나라다. 피자집 정직원이 될 때쯤 나는 교원 임용고사에 합격해 피자집의 방학 알바 스카우트를 뿌리쳤다. 그렇게 10년 넘게 학교에서 버티는 중이라는 이야기. 이게 다 피자집에서 기른 끈기와 인내 덕분이다.

실밥도 안 뽑았는데

　　교사가 된 지 어언 3년째였던, 스물여섯 살 겨울방학 때의 일이다. 남들은 빠르면 부모님이 중학교 때, 느리면 고등학교 졸업 때 해준다는 쌍꺼풀 수술을 나는 사회인이 되고 내가 번 돈으로 했다. 눈이 너무 순해 보여서 사람들이 나를 만만하게 대하는 것 같아 야무진 눈매로 바꾸고 싶었더랬다. 병원에서는 현금으로 결제하면 할인을 해준다고 했다. 계좌이체는 안 된다고 해서 지폐를 준비해서 병원에 가야 했다. 5만 원권이 나온 지 얼마 안 된 때였는데, 병원 앞 ATM기에서 긴장한 상태로 버튼을 눌러서 몽땅 만 원짜리로 돈을 인출했다. 만 원짜리 150장을 금두꺼비라도 가져온 것처럼 소중하게 데스크 직원에게 내밀자, 그 황당해하던 표정이란. 아직도 생생하게 기억난다.

　　　　　　　적당히 솔직해진다는 것

    그해 우리 반 6학년 아이들은 이전 해에
도 나와 같이 5학년을 지냈다. 그 말인즉슨 곧
과거가 될 내 눈의 역사를 너무나 잘 알고 있
다는 것이다. 이것 때문에 수술을 한 해 미룰
까 생각도 했지만, 부기만 잘 빠지면 살이 빠
져서 숨겨져 있던 쌍꺼풀이 마법처럼 등장한
거라고 아이들에게 거짓말을 할 수도 있을 것
같았다. 자연스럽게 해달라고 의사 선생님의
귀에서 피가 날 정도로 연신 부탁을 드렸다.
내가 교사고 아이들이 내 예전 눈을 아니까 제
발 자연스럽게 해달라고 말이다. 수술 직전 상
담 때도, 부분 마취를 하고 눈을 실로 꿰매는
중에도 간절한 목소리로 말했다. 의사 선생님
은 아무도 수술 사실은 알아챌 수 없게 잘 될
거라며 나를 안심시키셨다. 그.런.데.

    수술한 지 이틀째 되던 밤, 학교에서 긴
급 소집 문자가 왔다. 교육부에서 급한 공문
이 내려와 교육과정을 다시 짜야 하니 모든 교
원은 내일 아침 출근하라는 내용이었다. 교감
선생님께 출근을 못 하겠다고 연락하려다가

도 우리 학년의 교육과정 업무 담당인 내가 학교를 안 가기에는 정말 죄송했다. 학년 업무가 마비될 터였다. 몸이 안 좋다고 거짓말을 했다가 개학 날 쌍꺼풀이 생겨서 나타나는 것도 웃길 것 같았다. 어찌어찌 출근은 해야겠다고 생각했다. 해결책이 필요했다. 땡땡 부은 부기는 차치하고서라도 실밥도 안 뽑았는데 당장 이걸 어쩌나 싶었다. 엄마랑 순천 여행 갔을 때 역 근처 시장에서 5,000원 주고 산 선글라스가 보였다. 박남정 씨가 쓸 법한 넉넉한 크기의 잠자리 선글라스라면 부기는 충분히 가릴 수 있을 터였다.

평소보다 더 힘든 출근길이었다. 차라리 회복이 다 되어서 예쁘게 짠- 하고 나타나는 상황이라면 덜 부끄러웠을 거다. 하필 눈이 만들어지고 있는 과정 중에 전교 선생님들을 한 회의실에서 보게 되었다는 게 너무 수치스러웠다. 라식 수술을 했냐며 축하 인사를 건네거나 쌍꺼풀 수술한 거냐고 선글라스 안을 들여다보려는 선생님들, 다들 성형외과 근처도 안 가봤을

적당히 솔직해진다는 것

것 같더니 사실은 자기도 수술했다며 커밍아웃을 해 오는 분들도 꽤 있었다. 그 와중에 교사라는 직업 정신을 잊지 않고는 쌤 눈에는 매몰법보다 절개법이 낫다며, 쌍꺼풀 수술 방법을 참잘 골랐다고 칭찬해주는 분도 있었다.

단연코 이 회의의 주인공은 나였다. 쥐구멍을 넓혀서라도 숨고 싶은 와중에 교감 선생님의 말씀을 듣고는 하늘이 무너지는 것 같았다. 커다란 전지에 교육과정에 들어갈 교과 융합 프로젝트 다섯 개를 빼곡하게 다 짤 때까지는 퇴근을 못 한다는 내용이었다. 선글라스 때문인지 세상이 더욱 노랗게 보였다. 실밥만 없어도 참을 만했을 거다. 정면의 회의 화면을 보면서 전지에 글자를 쓸 때마다 실밥이 하나씩 터지고 피가 맺히는 느낌이 들었다. 돈 백오십을 들여 기껏 예쁘게 꿰매어 놓았더니, 내 눈은 갑작스러운 시련에 과거의 것으로 회귀하려 하고 있었다. 교육과정을 거의 다 짰을 때쯤 교장 선생님이 미소를 지으며 내게 오셔서 하시는 말씀. (일을 다 끝내고 난 후라는 게 포인트다.)

"아이고 안화용, 이 정도면 집에서 쉬지 그랬어. 우째 이 눈으로 학교를 왔노."

살신성인이 무엇인지 나는 몸소 느껴서 안다. 미용이든 치료든 눈에 실밥이 있으면 쉬어도 되는 것이라는 걸 그때 배웠다. 일터는 가끔 관대해지기도 하는 곳이라는 걸. 암튼 그 난리를 겪고 개학을 했다. 살을 잘라 다시 꿰매는 절개법으로 한 수술이라 부기가 생각보다 더 오래갔다. 한 달은 선글라스를 끼고 출근을 하고 수업도 했다. 선생님이 수업 중에 선글라스를 껴도 되나 싶지만, 내가 선글라스를 벗을라치면 그걸 보는 모든 사람이 제발 써도 된다고 애원했기에. 나는 어쩌다 멋쟁이 선생님이 되고 말았다. 선글라스에서 탈출한 건 우리 반 아이들의 최종 결재를 받고 나서였다.

"쌤 선글라스 벗어도 되겠나?"
"아, 아직은 안 되겠는데요. 다른 반 애들이 놀랄 것 같아요."

적당히 솔직해진다는 것

[한 달 후]

"쌤 선글라스 이제는 벗어도 되겠나?"

"(머리 위로 동그라미를 그리며)네! 네!! 꽤 자연스러워요!!!"

그렇게 더 이상 만만하지 않은 눈매를 가지게 되었다는 슬프고도 웃긴 이야기.

호호. 흑흑.

끝.

— 이미 지나간

여행지에서 만난 친절

가장 기억에 남는 친절을 만난 건 체코행 야간열차 안에서였다. 부다페스트역에서 올라 탄 침대 객실에서 하룻밤을 묵고 일어나면 마법처럼 새벽에 체코에 도착하게 되는 일정이었다. 한 달 치의 여행을 위한 캐리어에는 잡동사니가 들어 있어 꽤 무거웠다. 침대 객실 통로는 또 얼마나 좁은지, 캐리어를 통로에 둘 수 없어 상단 칸에 넣어야만 했다. 거의 만세를 하듯 캐리어를 들어올려야 하는 높이였는데, 아무리 애를 써도 캐리어를 들 수가 없었다. 그때, 열차 통로를 지나가던 인도인 아저씨가 도와주겠다고 내게 먼저 말을 걸었다. 야간열차에서 각종 범죄가 발생한다고 해서 지레 겁을 먹고 경계 태세였던 나는 선뜻 대답하지 못했다. '캐리어를 통째로 들고 열차에서 내릴

적당히 솔직해진다는 것

수도?'라는 의심이 들었다. 그때 아저씨의 가족들이 나타났다. 정신을 차려보니 그는 그저 가족여행을 즐겁게 하고 있는, 심지어 이방인을 선뜻 도우려는 선량한 아저씨였다. 내가 주저하는 사이에 아저씨는 캐리어를 번쩍 들어 수납 칸에 넣어주셨다. 그러고는 씩- 웃으며 가족과 함께 사라졌다. 과연 아저씨는 내 불편한 기색을 몰랐을까? 바다처럼 깊고 넓은 친절에 내 짠 마음이 녹았다. 감사했다. 기분 좋게 부끄러워졌다.

다음으로 기억나는 친절은 스위스에서였다. 무슨 호사를 누리겠다고 가파른 오르막길을 캐리어까지 끌고 올라가고 있나, 엄청 화가 나 있던 어느 낮이었다. 냉큼 한국으로 돌아가고 싶었다. 아주 건드리기만 해보라는 듯 잔뜩 눈을 부라리면서 한숨을 푹푹 쉬었다. 지나가는 사람들이 나를 피해 가고 싶어질 정도의 표정으로 한 걸음 한 걸음 겨우 내디뎠다. 구름 한 점 없이 청량한 하늘과 시원한 바람이 솔솔 불어오는 봄날의 날씨에도 심통이 났다. 내 기분은 이렇게 똥 같은데 날씨는 완벽했으니까. 욕할 대상도 없이 잔뜩 욕을 하고 싶은 기분이었다. 그때였다. 저 앞 이층집에서 알지도 못하는 여행자에게 손을 팔랑팔랑 흔드는 할아버지를 발견한 건. 그 인사는 햇살 같았다. 저 할아버지는 내가 없는 다른 날에도 문을 활짝 열어 어느 여행자에게 손을 흔들 것이다. 아무 이유 없이 기분이 안 좋아지는 날에는 가파른 오르막길에서 만난 햇살 같은 할아버지의 커다란 손 인사를 머릿속에 그려본다. 미소 지을 수밖에 없다.

대망의 마지막 친절은 혼자 여행을 갔을 때 만났다. 혼자 여행을 가면 사색에 잠길 수도 있고, 내가 원하는 대로 여행 일정을 바로 수정할 수 있어서 좋다. 다만 혼자 여행을 가서 아쉬운 점을 하나 꼽으라면 바로 사진이다. 나는 내가 나온 사진을 무척이나 좋아한다. 그래서 기록을 남기려고 미러리스 카메라를 적당한 턱에 올려놓거나, 핸드폰을 셀카봉에 끼워 최대한 다른 사람이 찍어준 척 아등바등 촬

저당히 솔직해진다는 것

영한다. 무진장 애쓰는 나를 보면 곳곳에서 일
상의 사진작가들이 도움의 손길을 내민다. 사
람 형상의 등신대와 전신 샷을 찍고 싶었던 미
술관에서도, 비루한 복장으로 기념사진은 남
기고 싶었던 오케스트라 하우스에서도, 슈니
첼을 먹고 있는 나를 기록하고 싶었던 오스트
리아 식당에서도 "Photo?" 하고 선뜻 물어봐
줬다. 참 따스한 목소리와 눈빛들이었다.

　　여행지에서 만난 친절들은 어디에서든
이방인으로 살고 싶었던 내 마음을 바꾸어놓
았다. 꼬마 기차를 탄 어린이 승객에게 손 인
사를 건네는 사람으로, 도움이 필요한 여행자
의 눈빛을 차분히 살피는 사람으로, 물어보지
도 않았는데 먼저 사진을 찍어주려는 사람으
로. 친절을 받다 보니 친절에 스며든 듯.

실패를 사랑할 수 있을까

쾌청한 토요일 오후에 가수이자 책방 사
장 요조 님의 『실패를 사랑하는 직업』 북토크
를 다녀왔다. 다 해낼 것 같은 마음으로 신청했
는데 북토크에 가야 하는 당일 아침이 되니 발
이 안 떨어졌다. 책을 엄청 재미있게 읽었던 터
라 중력과 몸무게를 이기고 발걸음을 떼었다.
북토크 역시 책만큼이나 재미있었다. 내 불안
을 풀 열쇠 중 일부를 찾는 느낌이었다. 한밤중
잠을 자다가도 진짜 깊은 잠의 세계로 가려고
하면 온몸을 부르르 떨고 마는, 뿌리 깊은 불안
의 실마리를 말이다. 요조 님은 본인의 실패를
네 가지로 나누어 설명하셨다. 뮤지션, 작가, 무
사 책방 주인 그리고 인간 신수진으로서의 실
패에 대한 내용이었다. 나도 내게 어떤 실패들
이 있었는지를 떠올려 글을 쓰고 싶어졌다.

우선 동네 가수로서의 실패다. 한때는 동네 청년들의 음악 앨범에 제안받아 싱어송라이터로 참여하기도 하고, 길거리 버스킹을 하면 지나가는 고등학생들의 "누나 예뻐요!" 같은 팬서비스를 받기도 했다. 동네 어르신들은 밖에서 고생한다며 무려 5만 원권을 기타 가방에 넣어주셨다. 바람이 불어오는 곳에서 긴 머리를 휘날리며 기타 치고 노래하던, 그런 시절이 있었다. 서른 무렵이 지나고선 더 이상 노래하지 않는다. 20대의 나만이 부를 수 있는 노래가 있었다고 생각하기 때문이다. 세상이 반짝일 거라고, 바뀔 거라고 믿던 나는 기억 속의 노래에만 있다. 글로 쓰기엔 너무나 뾰족했기에 노래를 불렀던 것이 나의 반짝이는 20대라면, 이제 글로 써도 될 만큼 비교적 둥그런 30대가 된 것이다. 요즘은 노래보다는 글을 쓰는 것에 사는 재미를 느낀다. 동네 가수 되기에 실패하면서 작가가 되는 것에 성공한 셈이다.

다음은 교사로서의 실패다. 나는 게으른 완벽주의자라 게을러 놓고는 결과까지 최상이

어야 한다고 생각하는 편이다. 고치려고도 해봤지만 지금도 스스로에게는 여전하다. 그래도 학생들 앞에서만큼은 실패하려고 애쓰는 편이다. 신규 교사 땐 학생들에게까지 엄격한 기준을 들이댔다. 완벽한 학생을 만드는 것이 교사의 일이라고 굳게 믿고 있었다. 학생들은 수시로 시험을 치렀다. 그 결과를 그래프로 만들어 보호자에게 주기적으로 제공했다. 학급 성적, 보호자의 만족도가 올랐다. 그러다 앞에 마주한 학생들의 표정이 내 것과 같아진 날, 나는 교사로서 실패하기로 마음먹었다. 내가 믿고 있던 '일'을 내려놓기로 했다. 교실에서 학생들이 무사히 머물다만 가도 내 일을 다한 것일지도 몰랐다. 학생들의 입장에서 성공하는 일을 해보려, 그들의 눈높이로 내려가 학급을 운영했다. 신기했다. 학생들이 소리 내 웃기 시작했다. 교사의 일, 그 답은 학생들에게 있었다. 요즘은 날마다 실패할 마음으로 출근한다. 작년엔 10년 넘는 교직 생활 중 처음으로 학생들에게 '친절한 선생님'이라는 말을 들었다. 피식 웃고 말았던 기억이 난다.

적당히 솔직해진다는 것

딸로서의 실패, 인간 안화용으로서의 실패도 적어보고 싶은데, 아직 무엇을 어떻게 실패했는지 정확하게 진단할 수가 없다. 실패가 진짜 실패로만 끝나버려 지지부진하기만 한 것들을 글로 쓰고 싶지는 않아서 그 글들은 다음 기회로 미룬다. 결국엔 실패를 진심으로 사랑할 수 있는, 여유로운 사람이 되고 싶다.

잃어버리지 않을 자신이 있는 이야기

매일 무언갈 잃어버리며 산다. 어떤 날은 사람을 잃기도 하고, 다른 날은 사랑을 잃기도, 또 어떤 날은 마음을 잃기도 한다. 그렇게 잃고 잃다 보면 동아줄이 닳아버려 어느 중요한 것마저 놓아버릴 것 같은 순간도 온다. 그럴 때면 잃어버리지 않을 자신이 있는 이야기를 부적처럼 떠올리게 된다. 2016년 한여름, 일본 고조(五條)시에서의 판타지아 같은 일들을.

2015년 여름, 나 혼자 유럽 여행을 떠나게 된 건 영화 <한여름의 판타지아>를 보고서였다. 여행을 가면 꿈 같은 사랑을 하게 될 것만 같았다. 여행지에서 소원하는 일들을 일기장에 적으며 장기간 비행시간을 뜬 눈으로 보냈다. 당시 나의 이상형은 유희열이었다. 잇몸

적당히 솔직해진다는 것

을 만개하며 활짝 웃는 표정과, 보살펴주어야 할 것 같은 마른 체형이 그땐 좋았다. 왠지 설레는 마음이 들었다. 어느새 유럽에 도착했다. 프랑스에서의 일주일 동안은 혼자 여행하다 보니 입에 단내가 날 정도로 말을 못 했다. 영국에 와선 말동무를 구해야겠다고 생각했다. 네이버 카페 '유랑'에서 한국인 동행을 구했다. 동행들과 펍을 갔다가 공원에 앉아 맥주를 마시는데 깜깜한 밤중에 빛나는 잇몸을 가진 사람이 갑자기 눈에 들어왔다. 그가 '희열'이었다. 내게 희열은 영화 같았다. <한여름의 판타지아>를 보고 떠난 여행지에서 만난 사랑이었으니까. 여행에서의 들뜬 마음과 서로에 대한 설렘을 구분하지 못할까 봐 우리는 한국에 돌아와서도 한 달을 기다렸다가 연애를 시작했다. 서로를 생각하면 마음이 몽글몽글해지던 시절이었다.

희열은 내가 입버릇처럼 말하던 영화의 촬영지인 일본 고조시를 함께 가자고 했다. 우리의 엔딩도 결국엔 영화 속 한여름의 판타지처럼 되고 마는 건 아닐까 괜히 불안한 마음이 들었다. 하지만 나를 위해 손품을 팔아 여행계획을 세운 희열의 제안을 거절할 순 없었다. 그러자고, 가보자고 했다. 인터넷에서 찾아본 고조시는 젊은이들이 떠난 후 오래 터를 지킨 노인들만이 있는 곳이라고 했다. 관광지가 아니어서 가이드북도 없었다. 이미 순례를 다녀온 어느 영화 팬의 글을 나침반 삼아 구글 지도 속 영화 촬영지에 핀을 꽂았다. 희열과 나는 마치 영화를 찍는 스태프처럼 도란도란 여행 계획을 세웠다. 우리의 버전으로 영화를 다시 찍기라도 할 것처럼 치밀하게 동선을 짰다.

일본에 도착하면서부터 우리는 서로의 영화감독과 배우가 되었다. 각자 가져간 카메라로 서로의 모습을 담기에 바빴다. 걸어 다니는 사람도, 움직이는 차도 없는데다 심지어 동물 소리도 나지 않는 적막한 시골 어귀에서 우리가 만들어낸 셔터음만 메아리처럼 울려댔다. 가까운 미래엔 일부러 잃어버리고 지우게 될 사진들을 열심히도 남겼다. 조용한 일본 시

골 마을에서 한국어로 말하며 부산스레 돌아다니는 젊은이 커플은 분명 눈에 띌 터였다. 이방인 둘은 그 시선을 은근히 즐겼다. 고등학교 때 배웠던 일본어를 이리저리 써먹어 보기도 했다. 이를테면 이런 것이었다. "井戸はどこにありますか?"우물은 어디에 있습니까? 라고 물으면, 외국인을 만날 경험이 없었을 아저씨가 유창하게 일본어로 대답하는 식이었다. 아저씨의 말을 이해하지 못했어도 고개를 아래위로 끄덕이며 "そうですか? ありはとうございます。"그렇습니까? 감사합니다. 를 장단에 맞게 대답하면 만사 오케이였다. 길을 알려준 사람도 흡족해하고 길을 물어본 사람도 행복하지만, 쌍방의 교류는 오갔을 리 없는 그런 대화들. 정보는 얻지 못했고, 그러니 길을 잃을 수밖에. 구글 지도가 통하지 않는 오래된 도시에서 우리는 결국 방향을 잃었다.

오래된 집이 주욱 늘어져 있어서 길을 찾을 지형지물도 따로 없던 곳에서, 우리는 6월 일본의 불볕더위를 마주했다. 영화 촬영지고

— 이미 지나간

뭐고 간에 시원한 에어컨이 있는 도시로 곧장 돌아가고 싶었다. 길도 잘 찾지 못할 거면서 여길 오자고 한 희열을 노려 보았다. 곧이어 여기에 오고 싶어 한 나를 원망하는 희열의 눈빛이 느껴졌다. 서로 말은 안 하지만 눈총이 오고 가던 그때, 작은 집에서 등이 곱게 굽은 할머니가 보살처럼 웃으며 우리에게 말을 건넸다. 손바닥을 까딱이며 집으로 들어오라고 하셨다.

"お茶飲む?"차 마실래?

할머니의 초대 말은 내가 알고 있는 몇 안 되는 일본어 중 한 마디였다. 쉬운 말을 골라서 이방인에게 건네는 마음이 느껴졌다. 젊은 사람들의 발길이 끊어진 곳에서, 그저 젊은이라면 비록 말이 통하지 않더라도 대화하고 싶었던 듯했다. 하지만 외진 시골 마을에서, 그것도 외국에서 함부로 낯선 집에 들어갔다간 무슨 일이 생길지 몰랐다. 지금 내 옆에 있는 희열은 위기에서 나를 지키기엔 너무 왜소했으므로, 잠시 망설였다. 주름진 눈으로 보내는

적당히 솔직해진다는 것

간절한 눈빛을 다시 바라보았다. 영화의 한 장면처럼 신비로웠다. 낡은 천을 걷으며 집 안으로 발을 디뎠다.

더운 여름에 물을 살 슈퍼도 찾지 못해 목말라 있던 우리였다. 할머니는 시원한 매실차를 문양이 새겨진 유리잔에 담은 후, 쟁반에 내오셨다. 겨우겨우 걷는 걸음으로 소반에 쟁반을 힘겹게 올렸다. 낯선 사람이 주는 음료라니, 의심의 눈초리로 한 모금을 마셨다. 그저 시원할 따름이었다. 우리 엄마가 만든 매실차처럼 맛있었다. 할머니는 뭔가 잊은 게 있는 듯 부산스럽게 일어나 주방 저편에서 뽀시락 뽀시락 소리를 내기 시작했다. 오랜만에 방문한 손자를 챙기듯 집에 있는 과자란 과자는 다 모으는 중이셨다. 아주 한 보따리 내어놓으셨다. 과자를 먹고 배가 불러왔다. 어떻게 낯선 이에게 이만큼의 마음을 냉큼 줄 수 있는 건지 궁금했다. 시원한 그늘, 선풍기 바람, 매실차, 할머니의 미소, 일본 시골 과자. 그 모든 게 크게 느껴져서 나는 내가 드릴 수 있는 유일한 대화를 할머니께 건네고 싶어졌다.

"おばあさんはおいくつですか?"할머니는
연세가 어떻게 되세요?

"私の年は90歳を超えてる。"90살 넘었어.

"私は28歳です。"저는 스물여덟 살이에요.

"かわいい年だね。かわいい。"귀여운 나이
네. 귀여워.

"ありがとうございます。家族と一緒に住ん
でいますか?"감사합니다. 가족과 같이 살고 계시나요?

"いや、息子に先立たれた。遠く、遠く。"
아니, 아들이 나보다 먼저 갔어. 멀리, 멀리.

내가 알고 있는 일본어 기본회화 중에서
할머니의 말씀에 답할 수 있는 말은 없었다.
그저 고개를 끄덕이는 수밖에. 할머니의 손을
잡아드리는 수밖에. 스물여덟 살의 내가 할 수
있는 일이란 우스웠다. 할머니와 함께 사진을
찍고, 포옹을 해드리고, 지키지 못할 약속을 하

적당히 솔직해진다는 것

는 거였다. 할머니께 한국 과자를 잔뜩 보내주겠다고 호기로운 말을 해버렸다. 할머니는 집 안에서 가장 멀쩡한 종잇조각을 가져와 곧은 글씨로 주소를 써주셨다. 한국에 돌아와서는 과자를 보내야겠다고 생각만 하고선 약속을 지키길 차일피일 미루었다.

<한여름의 판타지아>의 주인공들보다는 길게 만났지만 결국 희열과 나는 헤어졌다. 영화 같던 첫 만남이 아깝다는 이유로 서로에게 오래 머물지 않았더라면, 우리는 영화처럼 짧은 사랑을 하고 영화처럼 아름답게 헤어질 수도 있었을까. 결국엔 미움과 원망으로 끝나고만 희열과의 물건을 정리하던 날이었다. 할머니의 주소가 적힌 쪽지가 물건 속에 섞여 있었다. 손에 꼭 쥐어보았다. 약속을 지키지 못한 부채감 때문일까. 추억이 주는 아련함 때문일까. 약속을 잊어버린 대신, 나는 잃어버리지 않을 자신이 있는 이야기를 얻었다.

일본 과자를 볼 때면, 거리에 지나가는 굽은 등을 볼 때면, 단편소설 「탐페레 공항」*을 읽을 때면, 상냥한 일본어가 들릴 때면, 무더운 여름이면, 나는 할머니에 대해 생각한다. 할머니가 내게 보여준 호의를, 내가 갚지 못한 그 마음을 생각한다. 겨우 이야기를 잃어버리지 않으려는 이기적인 마음으로 이 글을 쓴다.

* 2019년 출간된 장류진 작가의 소설집 『일의 기쁨과 슬픔』에 수록된 단편소설.

적당히 솔직해진다는 것

2부

잠시 머무르는

난 어떻게 지내고 있을까

난 어떻게 지내고 있을까. 나의 안부를 스스로 묻는 글을 써보려 하니 머릿속이 까매졌다. 그냥 살다 보니 어떻게 살았는지 어제 일도 기억이 안 나는데 요즘의 나를 총망라하는 글이라니. 어렵다. 일주일에 한 편씩 글을 쓰기로 한 나와의 약속을 못 지킬 것 같아 마음이 초조해졌다. 괜히 손톱 거스러미를 만지작거리다가 지금 배가 고프다는 사실을 깨달았다. 배달 앱을 켜서 먹태와 생맥을 시켰다. 밥을 밥답게 챙겨 먹어야 건강한 삶이란 걸 알지만 오늘은 마른안주에 생맥을 배불리 먹고 싶었다.

"How are you?"

"I'm fine, thank you. And you?"

괜히 영어로 안부를 묻는 말도 떠올려 봤다. 난 괜찮지도, 당신의 안부가 궁금하지도 않은데. 하긴, 영어 교과서 속 대답은 내 마음과 다른 경우가 많았다. 같은 문장이 들어 있는 노래도 떠올랐다.

"아임 파인 땡큐, 앤유, 앤유, 앤유우우~ 우우."

자신의 안부를 연신 구슬프게 불러서 하나도 안 파인해 보이는 가수 10CM의 노래였다. 괜찮다고 말했지만 실은 하나도 안 괜찮았던 일상의 장면들에 대해 써보면 좋을 것도 같았는데, 지금 내 글 실력으로는 무리였다. 다른 사람들도 나처럼 이 글감에 대답하는 게 어려우려나 궁금해졌다. 생각난 김에 곧바로 인스타그램 스토리에 질문을 올렸다. 평소에 올리지 않는 내용의 스토리라 답이 없을 줄 알았는데. 그저 당신들의 안부를 묻는 것이라 여겼는지 친구들은 기꺼이 답을 남겨줬다.

나: 요즘 어떻게 지내세요?

A: 시험 기간이라 아주아주 바쁘게 지내요.
B: 언니 보고파요. 12월 초쯤 만나러 들를
게요.
C: 일만 해서 슬퍼요. 밴드 '페퍼톤스' 노래
들으며 버티고 있어요.

아주아주 바쁜 사람, 나를 보고 싶어 하
는 사람, 일만 해서 슬프다는 친구 들이 내 질
문에 곧바로 응답을 주었다. 나도 이들처럼 나
의 안부를 쉽게 말할 수 있었으면 좋겠다는 생
각이 들었다. 자문자답의 수렁에 빠져 있던 중,
묻지 말아야 할 사람에게 안부를 묻고 싶어졌
다. 술김에 미련이라는 감정이 뭉게뭉게 피어
올랐다. 이게 다 배달로 시켜 먹은 먹태와 생
맥 때문이었다. 먹태를 먹다 보니 갈증이 생기
고 이에 생맥을 들이키면 입이 심심해 먹태를
씹고의 반복이었다. 생맥 몇 CC는 조금 남길
것을. 아까운 알코올을 남길 새라 다 마셨더니
취기가 달큰하게 올랐다. 나의 특기 중 하나는

구남친들의 전화번호를 기억하는 것. 그중 가장 최근에 헤어진 북극곰*에게 망할 내 손가락이 향했다. 통화연결음이 울렸다가 멈췄다.

　"…안녕! 나야." (당연히 나겠지. 발신 번호에 뜨잖아.)

　"(당황한 기색이 역력한 목소리로)어어. 연락 올 줄 생각도 못 했는데. 안녕?"

　"어떻게 지내?"

　"잘 지내. 넌? 넌 어떻게 지내?"

　"나도 대부분은 잘 지내. 가끔… 네 생각을 해."

　(이 오그라드는 멘트는 주워 담을 수가 없어서 슬프다.)

　그렇게 한 시간을 통화했다. 대충 다시 나와 만나보자고 북극곰을 설득하는 내용이었던 것 같다. 그 와중에 내가 가장 많이 한 말은 "난

---

*　땀을 잘 흘리며 하얗고 살집이 있었던 구남친에게 내가 지어준 별명.

잘 지내. 잘 지내고 있어."였다. 숭한 술버릇을 복기하면서 나의 안부를 깨닫게 된 지금, 부끄럽다. 이 집에는 지붕도 없지만도, 지붕 뚫는 하이킥으로도 해소가 어려운 수치심이다. 그걸 구남친에게 전화를 걸어서 물어봐야만 속이 시원했냐, 나야. 그래도 이마저도 기꺼이 글로 써내고야 마는 걸 보면, 나는 에세이스트로 잘 살 운명일지도 모른다. 어쩌면 재미있는 장면이 글감으로 필요해서 지루한 쳇바퀴 속에서 조금은 지질해져버린 거라고, 말 같지도 않은 핑계를 대본다.

부비프 찬가

2021년부터 일주일에 한 번 부비프글방에 참여하고 있다. 글방에는 내 글 한 편을 써서 마감 시간 전까지 글을 보내야만 부비프* 사장님이 보내주시는 줌 초대 링크를 받을 수 있다. 내 글을 낭독하고 다른 사람들의 글을 듣고 싶으면, 내 글 한 편을 써서 내야만 하는 것이다. 줌 링크 주소는 매주 바뀐다. 부비프는 참 다정하면서도 철저한 곳이기에 그렇다. 이번에는 글을 썼기에 당일 저녁 일곱 시에 발송되는 책방 사장님의 초대 메일을 받을 수 있었다.

* 서울시 성북구 동선동에 위치한 독립서점. 2019년 1월 1일에 문을 열었다.

글방은 다음과 같은 방식으로 진행된다. 우선, 한 주간 안부를 묻는 말로 시작한다. 보통은 저녁 메뉴로 무엇을 먹었는가를 묻는다. 이런저런 스몰토크를 나누며 모든 사람이 들어오기를 평화로이 기다린다. 그리고 사장님 나름의 이유와 흐름으로 배치했을 글 순서에 따라, 자신의 순서가 오면 본인의 글을 낭독한다. 처음 순서에 읽으면 산뜻한 기분이 든다. 중간쯤에 읽으면 앞사람의 내용에 따라 기가 죽거나 기가 살기도 한다. 참여자 중 피날레로 읽으면 대미를 장식하는 뿌듯함 같은 것을 느낀다. 글방표 작가의 목소리를 직접 들으며 그때그때 떠오르는 느낀 점이나 질문을 채팅으로 쓰기도 한다. 글 읽는 자의 호흡을 음성으로 방해하지 않기 위함이다.

낭독 직후 작가가 오늘의 글에 대한 소회를 이야기한 후엔, 손을 든 사람 또는 사장님의 선택을 받은 사람이 글에 대한 생각을 풀어놓는다. 소극적으로 화면 모퉁이에서 눈팅만 하며 숨어 있을 순 없다. 모두 발표해야 한

적당히 솔직해진다는 것

다. 줌 화면에 비추어 보이는 등분할 면적만큼이나 자신의 몫을 느끼고 말해야 한다. 우리는 함께 대화를 주고받으며 자기 경험을 작가의 것에 겹쳐보기도 하고, 다음 회차에 쓸 글에 대한 실마리를 얻기도 한다. 이는 곧 계속 글을 쓰게 하는 동력이 된다.

사람들이 내게 주는 피드백 속에서 작가로서의 내 캐릭터와 문체를 발견하게 된다. 내가 나를 어설프게 알고 있는 건지, 시시각각 내가 변화해온 건지, 사람들은 나를 깊이 있게 읽어내고 이를 알려주곤 한다. 세상을 바라보는 눈이 아름답다고 한다. 글 사이사이에 유머 코드가 배치되어 있다고도 한다. 글을 쓰지 않으면 듣지 못할 말들이다. 세상 무심한 표정으로 이렇게 따스운 말을 카메라 너머로 건네는 사람들이라니. 내 옆에 있었다면 냅다 안아버렸을지도 모르겠다.

나를 계속 쓰게 하는 글방을 주제로 언젠가는 글을 쓰고 싶었다. 김화진 작가님과의 에세이 쓰기 모임을 위해 연습으로 신청했던 글방이었지만, 요즘엔 글방에서 쓴 글을 작가님과의 모임에 가져가기도 한다. 부비프글방에 참여하고 싶은 당신을 위한 깨알 정보를 공개하자면! 글방은 수요일, 목요일 저녁 일곱 시 30분에 한다. 자세한 정보는 부비프책방 인스타 피드를 통해 확인할 수 있다. 글방 덕분에 독립출판도 하고 있으니 이 글을 쓸 만도 하다. 그래서 바치는 부비프 찬가!

나의 우울일지

6년째 정신건강의학과 진료를 받고 있다. 내가 병원에 다닌다고 이야기하면 지인들은 깜짝 놀란다. 그렇게 보이지 않는다는 거다. 아마도 '그렇게'라는 말에는 내가 이상하거나, 지나치게 우울해 보이지 않는다는 뜻이 담겨 있을 것이다. 하긴 내 속이 얼마나 까맣게 타들어가는지는 나만 알 수 있는 일이다.

잘 생각해보면, 난 어릴 때부터 자주 불안해했다. 모든 일을 완벽하게 해내야 한다는 강박도 있었고 한번 무기력함에 빠지면 쉽게 헤어나오지 못하는 기질이 있었다. 알코올 중독이 있는 아빠에 대한 깊은 불신이 다른 인간관계에도 영향을 미쳤다. 혼자서 생계를 책임져야 했던 엄마가 가족을 떠날지도 모른다는 생각도 자주 했다. 그렇기에 내가 기억하는 대부분의 어린 시절은 우울이 지배하고 있다.

내 우울이 옅어질 수 있다고는 상상도 하지 못했다. 여행도 가고 자기 계발서도 읽어보고 심리학 강연도 들어보고 노래를 만들어보기도 하고 하루 종일 잠만 자보기도 했다. 다시는 울지 않을 것처럼 마지막 한 방울까지 짜내듯이 울어본 적도 있다. 이 세상 사람들이 말하는 온 방법을 총동원해서 간혹 나아질 때도 있었지만 그건 정말 일순간이었다. 내 우울은 댐 안에 묶여 있는 폭포 같았다. 댐의 우울이 방류되는 날이면 기껏 우산 같은 방법으로는 막을 수 없는 홍수가 터졌다.

2018년 여름에도 그랬다. 내 방에서 3년 정도 사귄 연인과 이별을 한 날이었다. 네 시간을 넘게 통화하면서 악다구니에 원망을 쏟아내는 말을 상대에게 퍼부었다. 전화를 끊고는 눈물샘이 터졌다. 스스로를 미워하는 마음이 내 방을 가득 메웠다. 숨이 쉬어지지 않았다. 퇴근

　　　　　　　적당히 솔직해진다는 것

하고서 방에 들어갈 수가 없었다. 10분 거리로 출퇴근할 수 있는 대구 집을 놔두고 왕복 세 시간 거리의 마산 집에서 통근을 했다. 어릴 때도 찾지 않았던 엄마 품에 아기처럼 안겨 울어야만 진정되는 날도 있었다.

일에도 영향이 갔다. 밝게 웃으면서 아이들의 에너지를 끌어올려 수업에 집중하도록 돕는 것이 나의 일인데, 수업하다가 그만 눈물이 나버렸다. 아이들은 날 이해해주었지만, 난 나에게 관대할 수 없었다. 교단에서 눈물이라니, 그건 내가 허락할 수 있는 내 모습이 아니었다. 오늘 같은 부끄러운 일이 내일도 생길까봐 두려웠다. 동료 선생님들은 점점 내 우울과 평소 같지 않은 모습을 알아차렸다. 교사로서의 나를 믿고 일할 수 없었다. 결국 출근길 학교 정문에 서서 학교 안에 들어가기를 망설이는 날이 왔다. 이건 아니었다.

계속 이렇게 살 수는 없었다. 이왕 사는 거 행복하게 잘 살고 싶었다. 다른 사람들에게 누가 되지 않는 보통 사람이 되고 싶었다. 교무실을 지나 무작정 교장실부터 찾아갔다. 교장 선생님, 저 많이 우울합니다, 학생들 앞에서 울고 싶지 않습니다, 도와주세요, 살고 싶어요, 그런 말들을 했던 것 같다. 학교를 쉬고 싶지는 않았다. 너무 멀리 떨어져 나오면 다시 돌아가는 게 힘들 것 같았다. 평소보다 느리게 일하더라도, 작은 일과 타박에 눈물 흘리더라도, 격려해주셨으면 좋겠다고 또박또박 말했다. 가만히 듣고 계시던 교장 선생님께선 의외의 말씀을 하셨다.

"당신, 용기 있다. 우리 때는 그저 숨기기 바빴는데. 나도 그랬던 적이 있어서 알아. 응원해."

교감 선생님께서도 그저 어깨를 두드려주셨다. 그것만으로 충분했다. 생각도 못 한 응원을 받아서 눈물이 쏟아졌다. 학교 일과 중 조퇴를 내고선 홀로 뚜벅뚜벅 정신건강의학과에 갔다. 엘리베이터를 타고 병원 문 앞까지

적당히 솔직해진다는 것

오는 데에는 큰 용기가 필요했다. 병원 이름에 붙어 있는 '마음'이라는 글자가 괜히 크게 보였다. 마음을 되찾고 싶은 마음으로 병원 문을 크게 열어젖혔다. 안에서는 다양한 연령층의 사람들이 차분한 표정으로 앉아 자신의 순서를 기다리고 있었다. 참고 참다 묵혀둔 마음을 고치러 온 사람들이 거기에 모여 있었다. 모여 있는 사람들의 덩어리진 용기가 양감으로 느껴져서 왠지 뭉클했다.

의사 선생님은 내 우울이 오래된 것이라 장기간의 상담 치료가 중요하다고 했다. 가벼운 약물 치료도 병행하기로 했다. 같은 건물 다른 층에 있는 상담센터에 가서 예약하고 상담 선생님과 이야기를 나누었다. 상담 선생님 앞에서 이야기책을 읽듯, 어릴 적 일들을 담담하게 늘어놓았다. 다른 사람 앞에서 제대로 발화해본 적이 처음이라 눈물이 났다. 상담 선생님께서 눈시울을 함께 붉혀주셨다. 공감해주시는 모습에 믿음이 생기면서 내 이야기를 더욱 진솔하게 털어놓을 수 있었다. 상담 회차가 지나면서 생활도 달라졌다. 2주마다 만날 선생님에게 털어놓으려 삶을 자세히 들여다보며 살았다. 행복한 삶의 순간들을 수집하는 내가 여기에 있었다. 이제는 상담받지 않아도 될 정도로 많이 좋아졌다. 경기도로 이사를 오면서 병원도 의사 선생님도 달라졌지만 내가 듣고 싶은 말은 여전히 같다.

"2주 뒤에 또 만나요."

학교 가기 싫은 선생님의 월요병 극복법

"아, 학교 가기 싫다."

학생 때도 교사가 되어서도 자주 하는 말이다. 이 말을 서른이 넘어서도 하게 될 줄은 몰랐다. 개학을 앞둔 방학 끝 무렵이나 월요일을 앞둔 주말 저녁이면 나는 한숨을 쉬듯 이 말을 뱉는다. 그럴 때면 우리 엄마는 나를 세상 그 누구보다 한심하게 바라보며 말을 건넨다.

"그 나이 먹고도 학교 가기 싫다고 할 줄 나는 꿈에도 몰랐지."

"이 나이 먹고 학교 다닐 줄 나도 몰랐어요. 흑흑."

이 글을 쓰는 지금은 공교롭게도 글쓰기 수업 시간이다. 그렇다. 수업 중이다. 아이들에게 '월요병을 극복하는 법'이라는 주제로 글쓰기를 하라고 해놓고선, 나도 글을 함께 쓰고 있다. 같이 글 쓰는 어린 동지들이 눈앞에 있으니 글쓰기가 한결 가볍다.

"선생님, 얼마나 써야 해요?"
"저는 월요병이 없는데 어떡해요?"

글을 쓰기 싫은 학생들의 푸념이 교실을 한가득 채웠다. 배부른 점심시간을 보내고, 글쓰기라니. 진짜 쓰기 싫을 거다. 그 심정은 백 번 이해한다. 나도 글쓰기 모임 합평 시간 중 글을 낭독하는 즐거움은 사랑하지만, 글을 쓰는 이 어려운 기분까지 썩 반기지는 않으니까.

"선생님 글 쓴 만큼 너희도 쓸래, 그럼? 아니면 한 쪽만 쓸래?"

나도 글 분량을 가득 채울 자신은 없지만,

적당히 솔직해진다는 것

선생님이 타고난 글 재주꾼인 줄 아는 아이들은 손사래를 치며 됐다고 한다. 한 쪽도 감사히 채워 쓰겠다고. 실은 나도 한 쪽을 넘길 자신은 없는데. 물론, 이건 애들한테 비밀이다.

　　나라고 뭐 특별한 '월요병을 극복하는 법'은 없지만 소소한 방법 세 가지는 있다. 첫째, 내가 가장 좋아하는 야식인 굽네치킨의 고추바사삭을 시켜 먹는 거다. 세끼를 잘 안 챙겨 먹는 탓에 일요일 밤 자기 직전엔 늘 허기가 진다. 고블링 소스와 함께라면 치킨 반 마리는 뚝딱이다. 반은 내일을 위해 꼭 남겨둔다. 월요일을 무사히 마치고 온 미래의 나를 위한 양식이다. 고추바사삭과 함께라면 일요일 밤도 꽤 꼬소롬하게 느껴진다.

　　둘째, 다음 주 주말 계획을 세운다. 인간관계가 좁은 편이지만 너무 심심할 때면 나를 구원해줄 구세주 친구 정도는 있다. 서로의 안부를 오래 묻지 않아서 궁금해질 때쯤에 약속은 성사된다. 아무리 친한 친구 사이더라도 오래 보지 않으면 서로 낯을 가리게 되는 편이어서 첫 데이트 신청을 하는 느낌도 든다. 다음 주 주말에 놀 생각을 하면 당장 다가오는 월요병도 무찌를 수 있다.

셋째, 배구를 본다. 일요일 티브이 편성표에 가장 감사한 점은 여자배구가 편성되어 있다는 것이다. 나는 상대적으로 행동이 굼뜨고 운동신경이 없는 편이다. 그래서인지 운동을 잘하는 여성을 보면 희열을 느낀다. 머릿속의 내 몸은 배구 만화 『하이큐』의 주인공처럼 자율 반사신경을 활용해 날아다니지만, 진짜 코트 안에서는 그렇지 못하다. 그래서인지 티브이 속 멋진 배구선수들을 보면 속이 뻥 뚫린다. 방 안에서만 굴러다니는 내 몸뚱어리에 날개를 단 것만 같다. 월요일 일터에서 일하기 위한 준비운동을 미리 끝낸 기분이 든다.

내 월요병 극복법에 대한 글을 쓰다 보니 수업 시간 40분이 금방 갔다. 중반부터 글이 잘 풀리지 않아 괜스레 반 아이들에게 이

적당히 솔직해진다는 것

글을 읽어줬는데, 빵빵 웃음이 터졌다. 기분이 좋았다. 다음 글도 읽고 싶다는 말을 건네는 아이는 장래가 유망하다. 칭찬 많이 해줘야겠다. 아이들에게 칭찬받고 싶어서 글을 쓰는 초등학교 선생님이라니. 뭔가 거꾸로 된 것 같지만 이렇든 저렇든 교실 분위기가 따스하고 아늑하니 그것으로 되었다. 내 글을 귀 기울여 들어주는 아이들에게 늘 고맙다.

루미큐브의 미덕

　나는 루미큐브*를 정말 좋아한다. 혼자 할 수는 없는 게임이라 게임 상대가 늘 필요하다. 그렇다고 매번 루미큐브 박스를 들고 다니며 아무나 붙잡고 한 게임 하자고 할 수는 없는 노릇이다. 어쩔 수 없이 핸드폰이나 태블릿에 앱을 설치해 온라인으로 루미큐브를 즐긴다. 나와 마침 타이밍이 맞은 세계 각국의 유저들과 말이다. 해당 유저 프로필에 표시되는 국적, 아이디, 캐릭터를 보고 실제 그 사람의 모습을 유추하며 게임 시작을 기다리는 게 보통이다. 그러다 가끔 유독 시작을 다정하게 하는 유저들을 만나기도 한다.

---

* 세계적으로 유명한 보드게임 중 하나다. 숫자 타일을 활용해 플레이한다.

"Good Luck!"

이 말풍선 버튼을 누르고 게임을 시작하는 행위에는, 당장 본인의 패를 살피기보다는 상대방의 행운을 빌어주겠다는 스포츠 정신이 담겨 있다. 나는 친구와 할 때 놀리기 위한 목적이 아니고서야 말풍선 버튼을 눌러본 적이 없다. 판돈을 건 게임에서 '선 인사 후 게임'을 하는 이들의 여유로운 마음은 실로 놀라운 것이다. 말풍선 하나에도 존경을 느끼게 된다.

물론 답답한 상황도 있다. 30 이상의 연속된 수 카드를 등록해야 하는 기본 규칙조차 모르는 채로 게임을 하는 사람들 때문이다. 제한 시간 동안 어리둥절한 손놀림을 보고 있으면 복장이 터진다. 비효율적인 게임 진행에 화가 난다. 그가 쓰고 있는 내 시간이 너무 아깝다. 해당 유저를 직장 동료로 만나지 않았음을 다행이라고 여긴다. 채팅 기능이 없어서 게임 규칙을 설명해줄 수도 없기 때문에 인내라는 미덕을 자동으로 얻는다.

패에 따라 오늘의 운세를 점치는 기분도 든다. 내게 나쁜 패만 주어져서 패색이 짙어지는 날은 운세가 안 좋은 날이다. 패가 안 좋았음에도 게임에서 승리하면 오늘의 나쁜 운세마저 이겨버리는 것 같은 통쾌함을 느낀다. 일단 등록하고 나면 그때부터 게임은 더욱 재미있어진다. 딸깍, 딸깍. 패를 놓을 때마다 나는 소리가 꼭 탭댄스를 추는 기분이다.

어느새 120만 코인을 모았다. 게임으로 달래야만 할 외롭고 쓸쓸한 시간이 있었음을 알려주는 무용한 증거다. 쓸모 있는 일만 좇는 나에겐 어쩜 루미큐브처럼 쓸모없는 일을 하는 시간이 진정 필요했을지도 모르겠다. 해야 하는 일만 하면서 사는 당신에게 루미큐브 고수로서 하나의 비법을 선물하고 싶다. 그건 바로 몰래 정리해둔 패를 때가 되면 한 번에 모두 꺼내놓는 것이다. 인생도 이렇게 멋지고 날렵하게 플레이 할 수 있으면 좋을 텐데. 한 판씩 즐기다 보면 그리 되어 있으려나.

사주팔자 해설서

    나는 사주를 크게는 믿지 않는 편이지만 사주를 보는 건 좋아한다. 지역 이동을 위해 치른 임용고사 결과를 기다리던 중에 사주를 보러 간 적이 있었다. 기다리기에 답답하고 심심한 마음에서였다. 대구 동성로에 있는 가게에 사주를 보러갔더랬다. 그때는 음력으로 아직 2017년이었고, 사주 아저씨는 올해는 내가 뭘 해도 안 되는 해라고 했다. 본래 물이 많은 사주에 홍수까지 덮친 격이라는 것이다. 아마 몸도 아파서 큰 수술을 했을 거라 했다. 신통했다. 고개를 끄덕이며 무릎을 쳤다.

    문제는 그다음이었다. 백퍼센트 이번 시험에 낙방하리라는 것이다. 사실 1차 필기시험을 잘 치르지 못한 터라 합격하기엔 시험 점수가 간당간당했어서 내심 찔렸다. 그래도 2차 실기시험을 아주 잘 치러서 합격 소식을 기다리는 중이었는데 기분이 나빴다. 아저씨 말에 부정 타는 느낌이 들었다. 합격하겠다는 일념으로 사주 아저씨에게 야무지게 따졌다.

(대구 사투리로 읽어야 한다.)

"전 제가 붙을 것 같은데요? 붙으면 어쩔 건데요??"

"아가씨가 붙으면 다시 여길 찾아 오소. 무조건 떨어진다카이!"

정말이지 사주를 크게는 안 믿지만, 그 말을 듣고 며칠을 불안에 떨었다. 그런데 말이다. 사주 아저씨의 해석이 틀렸던 건지, 내가 내운을 이길 만큼 독했던 건지, 합격했다. "그것 보세요."라며 사주 아저씨에게 이 소식을 알리고 싶어서 곧장 사주 가게로 향했다. 아저씨가 자리에 없었다. 아저씨는 파트타임제로 일한다고 했다. 언제 오시냐고 물어보려다가 내 소식을 전해달라고만 하고 가게를 나왔다. 이렇게 적중률이 떨어지는 사주라 해도 나는 사주를 좋아한다. 뭣 같은 내 성격과 내 인생을 풀이해주는, 꽤 다정한 학문이기 때문이다.

요즘 사주팔자를 다시 들여다볼 계기가 생겼다. 5년 전 교사실 옆자리에서 꽤 오래 나의 지기가 되어준 선배 선생님과 전화 통화로 안부를 주고받던 중이었다. 취미로 사주 공부를 시작하셨다는 거다. 심심하던 중에 나의 사주도 봐달라고 부탁드렸다. 사주 세계에서 학문 초입자가 섣불리 사주를 봐주는 것은 조심스러운 일이라 하셨다. 하지만 우리는 특별히 가까운 사이기에 봐주시기로 했다. 신나게 내 생년월일시를 읊었다. 사주팔자 책을 급히 뒤적이는 소리가 ASMR로 들렸다. 사주풀이에 떨리는 건 어쩔 수 없는 노릇이었다.

선배 선생님께서 들려주신 내 사주의 키워드는 이랬다. 임자일주, 강휘상영, 겁재, 장생, 학당귀인, 천을귀인, 양인살, 홍염살. 이게 무슨 사자성어도 아닌 고어인가 싶다. 풀이를 들어보니 꽤 내 것 같았다. 우선 임자일주란, 자신 중심으로 우주가 돈다고 여기는 것이다. 내가 잘되는 것이 곧 행복인, '나'의 기운이 센 팔자다. 고로 이 키워드는 내 책도 직접 만들고, 학교 재직 중에 대학원도 간 내게 아주 딱 맞아 들어간다. 강휘상영도 이에 일맥상통한다. 강휘상영이란, 강에 밝은 빛이 비친다는 뜻이다. 이 말에는 빛날 화에 녹일 용, 빛으로 세상을 녹이겠다는 내 이름의 뜻과도 맞아 들어가는 진묘함이 있다.

겁재는 재산을 다른 사람에게 준다는 뜻인데 나의 경우엔 엄마께 드리게 될 것이라 했다. 전생에 엄마께 은덕을 받았기에 현생에 그것을 갚는 것이라 했다. 이왕이면 부모님에게 재물을 받는 사주면 더 좋았을 것 같다고 아쉬움을 표하자, 선생님께선 새로운 지론을 주셨다. 다른 사주의 경우엔 시댁, 생판 남에게 주는 일도 있다 하니 내 사주는 겁재 중에서는 아주 좋은 사주라는 것이다. 지금까지 고생만 한 울 엄마 손에 잡힌 주름이 갑자기 떠올랐다.

적당히 솔직해진다는 것

그렇다. 박복했던 울 엄마에게 겁재인 내가 있어서 참 다행이다. 난 좋은 사주를 가졌다.

장생. 말년에도 생기가 죽지 않는다는 뜻이다. 초년운은 좋지 않으나 나이 40부터 운이 발해 늙어서도 잘 살고 부귀영화를 누린다고 하니 이렇게 좋을 수가 없다. 이미 지나간 고생은 과거의 일이니 앞으로의 좋은 일을 기대하다 보면 나이 드는 것에 설레기까지 한다. 5년만 더, 아니 음력으로 따져야 하니까 6년만 더 기다리면 복이 온다. 떼돈은 아니더라도 편안한 노후를 보낼 수 있을 만큼의 재력과 건강으로 장생할 수 있다는 게 복 중의 복이다.

천생 공부할 팔자인가, 내겐 나를 돕는 조상님이 두 분 계시다고 한다. 공부를 돕는 학당귀인과 조상의 은덕을 누리게 해준다는 천을귀인이다. 생각해보면 공부 관련 시험에서 떨어져본 적이 없다. 마음먹으면 붙는 게 시험이다. 물론 내가 열심히 한 덕이 크겠지만, 몇할 정도는 조상님께 감사드려도 될 것 같다.

이제 대학원도 갔으니, 논문도 척척 쓰는 척척 석사가 되어야 한다. 조상의 은덕이 빛을 발했으면 좋겠다.

마지막으로 가장 흥미로웠던 부분은 양인살과 홍염살이었다. 양인살은 사람들을 휘어잡는 카리스마를 뜻한다고 한다. 작년에는 열 명이 넘는 동료 교사를 이끄는 학년 부장을, 그것도 두 번째로 어린 내가 했으니 어쩌면 양인살이 있는 게 틀림없다. 내 수업을 여러 번 본 적이 있는 선생님께선 우리 반 학생들의 높은 수업 집중력도 내 양인살에서 기인한 것으로 추측하셨다. 홍염살은 내가 마음먹은 단 한 사람만은 내 것으로 만들고야 마는 엄청난 초능력이다. 지금까지의 연애를 돌이켜보면 맞는 것 같다. 내 것이 되면 뭐 하나, 이제 헤어지고 다들 남의 것 되었다. 에잇. 퉤퉤.

사는 게 너무 힘든 날에는 사주가 힘이 되고는 한다. 결국은 내 사주풀이를 요약하면 기승전해피엔딩이라는 거니까. 곧 죽을 것 같

적당히 솔직해진다는 것

이 힘들 때 동료 선생님께서 풀이해주신 사주를 받아적은 나만의 해설서 쪽지를 꺼내본다. 이거 쥐고 40까지만 버텨보자고 생각한다. 이렇게 하루하루 지나다 보면 그러다 50 되고, 100살 되면 그게 장생하는 거지 뭐. 그게 장땡이지 뭐.

팩소주 모임에 참여하려고 쓰는 글

소원(所願) [소:원]

: 어떤 일이 이루어지기를 바람.

　또는 그런 일.

　　오늘 글방은 특별히 오프라인 모임이다. 글방 친구들과 책방에서 팩소주 파티를 열기로 했다. 팩소주 모임에 가려면 '소원'을 주제로 글을 써서 제출해야 한다. 글을 쓰려 사전에서 '소원'의 뜻을 찾아봤다. 이루어지기를 바라는 일이 내겐 무얼까. 사실 소원이란 말을 평소에 많이 사용하지는 않는다. "우리의 소원은 통일", 이렇게 김구 선생님의 책에서나 쓰일 법한 거창하고 아득한 단어라서 나는 소원을 우리 집에 잘 들이지 않는 편이다. 소원이라. 그럼에도 책방에서 팩소주를 마셔보려고 소원이라는 단어를 골똘히 바라보며 먼지가 곰팡내 나게 쌓인 내 마음속 서랍을 열어보았다.

첫 소원. 지금보다 큰 집으로 이사 가서 유기묘의 가족이 되어주고 싶다.(책을 쓰는 지금은 소원을 이루었다.) 지금보다 큰 집이라고 해도 여전히 작은 집일 것이다. 지금은 미닫이 문으로 방과 거실이 구분되는 1.5룸 형태의 집에 살고 있다. 캣타워, 스크래처를 넉넉히 놓기에는 충분치 않다. 아마 고양이를 가족으로 들인다면 내 책 타워가 고양이의 캣타워가 될 것이고 내 책들이 고양이의 스크래치 전용 놀잇감이 될 거다. 왜 하필 고양이냐고 묻는다면 이렇게 답할 거다. 일터에서 끊임없이 나를 찾는 댕댕이 같은 학생들과 있다 보면 집에서만큼은 정말 혼자 있고 싶은 마음이 든다. 그래서 너 거기 있고 나 여기 있지, 하며 서로를 바라보는 존재가 절실하다. 이 문단의 요는 고양이와 여유롭게 공간을 나눌 수 있을, 넉넉한 집으로 이사 가고 싶다는 거다.

다음 소원은 주황빛 조명이 있는 동네 카페에서 내 이름을 건 공연을 여는 것이다. 5~6년 전, 낮엔 일하는 개미로 밤엔 기타 치며 노래하는 베짱이로 살았다. 스위치를 켜고 끄듯 밤낮으로 모드가 바뀌는 삶이란 생각보다 훨씬 정신없는 일이다. 그땐 어떤 모드도 즐기지 못했다. 다시 노래할 기회가 온다면 진짜 베짱이처럼 제대로 놀고 싶다. 작은 카페 하나 빌려서 내 이름으로 된 공연을 하는 게 뭐 어려운 일일까. 그 카페 앞 입간판엔 '싱어송라이터 안화용'이라는 글자가 쓰여 있을 거다. 사람들은 해 질 녘 주황빛 조명에 물든 거리를 걷고 있다가 카페 밖 스피커에서 울리는 내 기타 튜닝 소리에 발걸음을 멈추게 되려나. 낯선 사람들에게 처음 건네는 인사가 내 노래가 되었으면 좋겠다.

마지막 소원은 내 이름으로 된 책을 출간하는 것.(지금 이 책으로 이루었다.) 글을 쓸수록 자신감이 사라진다. 특별한 이야기가 소진되어 가는 것이 꼭 주머니에 넣어둔 맛있는 초

적당히 솔직해진다는 것

콜릿을 다 먹어가는 기분이다. 내 주머니에 초콜릿을 넣어주는 사람이 있어서 다행히 이야기는 또다시 생겨난다. 매주 글방의 사람들과 서로의 글을 나눌 때 그렇다. 이야기가 계속 생겨나는 초콜릿 샘이 내 손끝에 달린 기분이다. 계속 글을 쓰기만 하면 누군가가 읽어줄 책까지도 낼 수 있지 않을까. 초콜릿을 아껴 먹는 마음으로 일주일에 한 번씩 글을 쓴다.

서울퍼블리셔스테이블 셀러 후기

백수린 작가님의 『아주 오랜만에 행복하다는 느낌』을 읽다가 문득 그런 생각이 들었다. 내가 많이 바뀌었다는. 재미있거나 감동적인 일이 생기면 말로 전해야 뿌듯함을 느끼던 나였는데, 이젠 이야기가 말로 휘발되어 버릴까 봐, 혹시나 글이 되지 못하고 그 벅찬 마음이 가벼워져 버릴까 봐 입을 닫고 글을 쓰는 쪽으로 바뀐 거다. 이 글도 그래서 쓴다.

지난 주말 2022서울퍼블리셔스테이블에 0.5부스만큼의 셀러로 참여하고 왔다. 우리의 독립출판물 『싶싶한 하루 보내세요』(줄여서 '싶하보') 60여 권을 가져가서 사흘 동안 다 팔았다. 그간 만든 책을 알리고 홍보하고 싶어 잔뜩 달뜨고 바빴던 마음이 이제야 좀 가라앉

적당히 솔직해진다는 것

았다. 엄청나게 재미난 꿈을 꾸고 온 느낌이다. 글로 쓰지 않으면 날아가 버릴까 봐 입을 꾹 다물고 집중해서, 기억해놓은 잔상들을 글로 남겨보기로 한다.

1. 두 시간만큼의 설렘, 네 시간만큼의 걱정

'싶하보' 저자 다섯 명이 돌아가며 부스를 지켰다. 나는 북페어가 열리는 사흘 중 이틀을 참가했다. 북페어 기간 중 둘째 날은 두 시간 동안, 셋째 날은 네 시간 동안 부스를 지켰다. 둘째 날의 두 시간은 설레고 신나기만 했다. 그래서 '싶하보' 굿즈인 수건을 들고 흔들며 지나가는 사람들에게 인사를 건넸다. "싶싶한 하루 보내세요!"를 연신 외치니 바로 옆 부스를 지키는 작가님들이 내게 최고라고 엄지를 들어주실 정도였다. 나는 그 행동을 '수건 포포몬쓰'라고 이름 지었다. 다음 날도 파이팅 넘치게 할 수 있을 것 같았지만 오산이었다. '싶하보' 팀원간 인수인계를 위해 아침 일찍 행사장에 나와야 해서 행사장 카페에서 틈틈이 대학원 코딩 과제를 했다. 그러다 보니 진이 빠졌던 것이다. 인파 사이에서 까만 화면을 노트북에 띄워 놓고 과제를 하고 있자니 왠지 민망했다. 그러고 책 판매를 시작했더니 얼굴이 잔뜩 굳어버렸다. 책이 다 팔리지 않으면 어떻게 집에 가져갈지도 걱정이 되었다. 다행히 책은 잘 팔렸다. 굳었던 표정이 풀리기 시작했다.

2. 둘째 날, 엘리베이터 안에서의 조그만 외침

둘째 날, 셀러 활동을 마치고 퇴근하는 엘리베이터 안에서 "C-20 부스를 찾아주세요!"라고 외쳐버렸다. 그 시간에 엘리베이터에 탑승한 분들은 나와 같은 작가님들이었다. 하루 종일 17층에서 책을 알리느라 진이 빠져 있었을 그들에게 웃음을 주고 싶었다. 솔직히 같은 작가님들에게라도 책 한 권 더 팔고 싶은 마음도 있었다. 안하무인 안화용. 아마 이렇게 큰 행사장에서 내 책을 홍보해보는 게 처음이라 잠시 돌+I가 되었던 것 같다. 엘리베이터 안에서 다들 빵 터져 웃어버렸다. 놀랍게도 셋째 날 끝 무렵 우리 부스를 기어이 찾아주신 작가님이 계셨다. "어제 엘리베이터 안에서 들었어요. 하루 종일 C-20 부스 번호 잊어버릴까 봐 애썼어요. 이번 북페어에서 딱 한 권만 사자고 생각했는데 그게 이 책이네요."라고 말씀해 주시는 바람에 부끄러움이 뭐야. 그냥 신나버리고 말았다. 잠시 뒤에 다시 오셔서는 사인도 받아 가셨다. 말 그대로 감동이었다. 초보 작가로서의 내 설렘이, 두근거림이 그분에게도 좋은 기운으로 전해졌을 거라 믿는다.

3. 내 글을 우연히 펼쳐 읽고 책을 사는 독자를 목격하다

진중한 분위기의 남자 손님이 우리 책을 집어 들었다. 종이 결이 어떤지 느껴보려는 듯 종잇장을 스르륵 손에서 넘기더니 한 페이지에서 움직임을 멈췄다. 내 글이었다. 내가 그 꼭지를 쓴 사람인지 모르는 상황에서 내 글을 읽는 사람을 실시간으로 목격하다니. 그는 글 한 편을 내리 읽고는 결정했다는 듯 내게 말했다.

"이 책 한 권 주세요."
거기에서 나는 또 주접을 떨고 말았다.

"방금 읽으신 글 제가 쓴 겁니다. 하하하."

하루 지나서 생각해보니 이건 좀 많이 부끄럽다. 그래도 진짜 행복했고, 지금도 그 순간을 떠올리면 감동이 차오른다. 글만 읽고 나를 택해주신 독자님. 감사합니다. 복 받으실 겁니다.

4. 오프라인에서도 책방을 향한 러브콜을 보내다

행사장을 두 바퀴 정도 돌면서 매의 눈으로 책방 사장님들을 찾았다. 이미 입고한 책방에는 감사 인사를 전하고, 입고 메일은 보냈으나 아직 우리에게 응답하지 않은 사장님들께는 명함을 드리며 구애의 몸짓으로 배꼽 인사를 연신 했다. 왠지 너무 촌스러운 러브콜인 것 같지만도, 그래도 후회는 안 한다. 내가 언제 한 장소에서 이렇게나 많은 사장님들을 마주할 수 있겠는가. 연예인 본 것보다 훨씬 기분 좋더라. 한 번의 구애로는 부족할 것 같아, 내 구형 카메라를 들고 돌아다니며 사진도 찍어 인스타 DM으로

적당히 솔직해진다는 것

보내드렸다. 메일까지 합치면 세 번 구애한 건데. 이제 그만! 기다리자. 큭큭큭.

밤택시와 호날두

집으로 가는 지하철이 중간에 끊겼다. 김화진 작가님과 함께하는 에세이 쓰기 모임 쫑파티에서 일찍 자리를 뜨지 않은 탓이다. 등단 작가님이 사주시는 치맥을 언제 또 먹나 싶은 마음에 자리가 파할 때까지 즐거이 마셨다. 500CC 맥주를 석 잔 정도 마셨던가. 막차인 지하철을 겨우 타고 일단 서울 동쪽 끝 역까지 왔다. 서울 근교인 경기도 집까지 가는 버스도 끊겨서 어쩔 수 없이 콜택시를 불렀다. 경상도 사투리 중에서도 대구 억양을 가진 아저씨 기사님이 오셨다.

"일하고 들어갑니까?"
"(최대한 서울말로)아뇨."
"그럼 놀다 들어갑니까?"

적당히 솔직해진다는 것

"예."

"잘했습니다."

"(왠지 뿌듯해서 사투리가 나와버림)글치요."

"저기 역 앞에 다 택시 타려고 기다리는 처녀총각들 아인교. 아가씨는 억수로 운도 좋은기라요."

"그렇나요. 허허헣."

그러고 8분간의 침묵. 기사님 말씀에 난 오늘 운수가 좋구나, 하는 생각을 하며 지나가는 밤 조명들에 멍을 때렸다. 어느새 집에 도착했다. 아저씨께 나도 경상도 사람이라고, 아는 척을 하려다 웬 주책인가 싶어서 말하길 그만두었다. 술 먹었다고 이렇게 친화력이 급 올라서야. 술 깨면 부끄럽지. 암암.

"빨리 왔지예. 역에서 금방이라카이."

"안전 운행하십시오.(방긋)"

우리 외할아버지도 대구에서 택시 기사

를 하신다. 그래서 기사님들께는 더 친절히 대하게 된다. 오늘 만난 기사님은 호칭에 후하신 분이다. 아가씨와 아주머니 어드메의 외모를 가진 사람을 호칭하기에 애매할 때는 아가씨라고 부르는 편이신 것일까. 우리 할아버지 같았음 나보고 아주매라고 불렀을 것이 분명하다. 아가씨라고 불러주셨다고 그게 그렇게 기분이 좋아서 콧노래를 불렀다. 어려 보인다는 말에 기분 좋으면 나이 든 거라던데…. 건물 현관문을 세차게 열었다. 나 아직 한창이구나, 룰루랄라.

택시 결제내역을 보니 뉴스대로 진짜 요금이 올랐다. 근데 엘리베이터 안은 또 왜 이렇게 추워. 글쓰기 모임에 어서 다녀올 줄 알고 옷을 얇게 입은 데다, 술로 데워진 몸이 슬슬 깨면서 차가워지기까지 하니 싸늘했다. 집에 들어가자마자 전기장판에 몸을 지졌다. 몸을 데우니 다시 취기가 도는 느낌. 어젯밤 사정이 있어 보지 못한 포르투갈전을 틀어놓고 잠이 오길 기다렸다. 취기가 가시기 전에 잠아

적당히 솔직해진다는 것

어서 오라며 잠을 부르는 동안 호날두의 자책골 등짝 어시스트를 본 것 같다. 그의 쓸쓸한 표정이 아른거렸다. 잠에 들기 전 이미 결과를 아는 축구 경기를 보는 것도 꽤 수면에 도움이 되는구나. 그런 엉뚱한 생각에 헤롱헤롱거리다 노곤하게 잠이 들었던 어제.

트니트니 방귀

　남자친구 앞에서만은 참고 싶었다. 나도 모르게 새어 나온 방귀에 성을 냈던 구남친 희열과의 일화도 있기에, 태백이 앞에서 끝끝내 방귀만은 트지 않으려고 했다. 얼굴이 노래질 때까지 참아도 봤지만 한계였다. 가만 보니 방귀를 뀌어서 태백이와도 헤어진 걸까. 암튼 이틀째 집 데이트를 하다 보니 방귀를 참는 시간이 길어졌던 것이 화근이었다. 방귀가 나올 것 같을 때마다 화장실을 갔음에도 내 안엔 아직 나오지 못한 가스들이 가득했다. 내 속엔 나보다 많은 방귀들이 있는 듯했다. 한기까지 느껴졌다. 더 참다가는 속이 비틀어질 것만 같았다. 어서 방귀를 내보내야만 했다. 태백이는 새로 산 폰 구경을 하느라 바빠 보였다. 태백이가 폰에 정신이 팔린 사이, 나는 1.5룸 구석의 침대

　　　　　　적당히 솔직해진다는 것

칸으로 파고들어 전기장판을 켜고 엎드린 채로 아랫배를 따뜻하게 지졌다. 몸이 노곤노곤해졌다. 배 속 구석구석에 숨어 있던 방귀들이 분출구를 향해서 모이기 시작했다. 문제는 소리였다. 폭죽 터지는 소리가 내 엉덩이 부분에서 났다. 괄약근 조절을 잘못한 탓이었다. 그때 마침 날 몰래 놀라게 하려고 뒤에 와 있던 태백이가 "응?" 하고 내 방귀 소리에 대답하더니 아무것도 못 들었다며 침대에 쓰러져 코를 막고 웃었다. 나는 말을 건 적이 없는데 대답을 해놓고선, 아무것도 못 들었다고 코를 막아버리니 태백이는 무언가 들어버리고 맡아버렸던 것이 분명했다. 방귀를 뀐 자의 항변으로선, 그래도 그 방귀는 냄새 없이 소리만 요란한 방귀였다는 것을 자신한다. 흑.

그렇다. 고백하자면 나는 완전 방귀쟁이다. 학교에서도 뀐다. 물론 이미지 관리를 위해 방귀를 티가 안 나게 잘 내보내는 편이다. 교실에서도 참지 않는다. 1분단쯤에서 방귀를 뀌고 3분단으로 걸어가는 편인데, 너무 빨리 걸어가

면 냄새가 나를 쫓아오기도 하기 때문에 냄새
와는 다른 속도로 아주 조금만 빠르게 걷는 편
이다. 한 발짝씩 방귀를 뒤에 내버려둔다. 가끔
은 방귀를 알아차리는 학생들도 있지만, 학생
들은 그게 차마 선생님의 냄새라고 생각하지
는 않는다. 그래서 대개 앞자리, 뒷자리에 앉은
학생들끼리 서로 너의 방귀냐며 실랑이를 벌이
는 장면을 멀리서 목격하기도 한다. 냄새와는
떨어진 곳에서 내가 은밀하게 웃고 있다면 그
것은 나의 방귀임이 틀림없다. 학생들의 안전
을 책임져야 하는 선생님이 방귀가 나올 때마
다 화장실을 갈 순 없는 노릇 아닌가. 그렇게 쉽
게 자리를 비울 순 없기에, 나는 나의 부재보다
는, 방귀와 함께 학생들의 옆을 지키길 선택한
다. 그래도 냄새가 심한 방귀 같은 경우에는 복
도를 점검하는 척 걸으며 흘려보내는 정도의
매너는 갖추고 있다.

방귀를 뀌기 곤란한 공간은 단연코 에스컬
레이터다. 나는 위로 올라가는데 내 냄새는 뒤의
사람에게 고스란히 물려지는 이 기계는 방귀쟁

이인 나에게 굉장한 수치심을 느끼게 한다. 되도록 타는 동안은 참아보려고 노력하는데, 그 시간이 얼마나 길게 느껴지는지 모른다. 억겁 같다. 조용한 음악이 나오는 카페도 은근히 난도가 높은 공간이다. 리듬에 맞게 잘게 쪼개어 방귀를 뀌는 스킬이 필요하다. 30년 넘게 방귀를 몰래 뀌다 보면 그 정도 기술은 자연스레 연마하게 된다. 특히 우리나라처럼 인구 밀도가 높은 나라에서는 말이다. 이 글을 읽고 있는 당신도 노이즈 캔슬링 방귀의 굉장한 고수가 아닌가. 그런데 최근에 알게 된 것이 있다. 내가 앉은 의자가 어떤 소재로 구성되어 있는지 확인해야 한다는 것이다. 방귀 소리를 흡수할 수 있는 면, 천, 가죽 소재라면 마음을 놓아도 되지만, 의자 안에 가방 따위를 넣을 수 있게 만들어진 나무 소재의 의자라면 방귀 뀔 생각을 버리는 게 좋다. 젬베를 연주하듯 방귀 소리가 카페 전체에 울리는 경험을 하고 싶지 않다면.

휴. 암튼 이 정도면 나 방귀 기술자 아닌가.

2023년 2월 2일의 일기

　　어제의 계획대로라면 나는 지금 한가람 미술관에 있어야 하지만, 계획과는 다르게 흘러가는 것이 나의 게으른 일상. 중천에 해가 뜬 느낌에 억지로 눈을 떴다. 오전 열한 시 20분. 대충 눈곱을 떼고 멍을 때리다가 자연스럽게 분홍색 털 재킷 지퍼를 채우고 남색 수면양말을 신었다. 외출과는 거리가 먼 복장이다. 어제 계획은 무산시켜버렸다. 책상에 앉았다. 하루 종일 누워 있으면 다가오는 3월 학생들 앞에서 바른 자세를 취해야 할 미래의 내가 너무 고역일 것 같았다. 그래서 책상에 앉아보기로 결심한 것이 겨우 이틀째. 책상에 올려둔 책 『쓰고 싶다 쓰고 싶지 않다』가 보였다. 책 제목이 꼭 내 마음 같다.

불현듯 오늘 아무것도 먹지 않았다는 사실을 깨달았다. 이런. 무엇을 먹는 게 왜 이리 귀찮은지. 입으로 씹어 삼키는 저작질 자체가 귀찮다. 안 먹으면 머리카락이 홀랑 빠지고 말거라던 동생의 말이 메아리친다. 근처 카페에서 배달을 시켰다. 초인종 소리에 귀를 기울이며 온라인 루미큐브를 여러 판 했다. 어느새 게임 머니가 300만 골드를 넘어간다. 인출해서 쓸 수 있으면 좋을 텐데. 현실의 내 잔고보다 루미큐브 골드가 더 많다. 그래도 골드라도 있는 게 어딘가. 왠지 안도되었다. 나에겐 세 가지 금이 있지. 불금, 루미큐브 골드 그리고 여러분과 함께하는 지금. 흐흐. 티브이에서 본 유머를 어설프게 따라 해봤다. 머쓱타드.

1월엔 책을 두 권밖에 안 읽어서 2월엔 예전처럼 다시 책을 많이 읽어보려 한다. 요즘에는 『싫싫한 하루 보내세요』 마케팅을 위해 독립출판의 흐름을 읽고자 독립출판물 위주의 편독을 했다. 이달엔 다른 카테고리의 책들도 골

고루 읽어야겠다. 책을 엄청나게 읽다 보면 자기 글을 쓰고 싶어진다는 말에 공감하지 못했는데, 작년엔 진짜 책을 냈다. 읽어둔 활자만큼 다시 쏟아내고 싶어지는 건 당연한 수순인 걸까. 작년 봄부터 지금까지 출판 활동을 했으니, 이제는 다시 활자를 모을 때다. 내 오래된 취미인 독서가 계속되어서 다행이다. 마음 연금에 책 속의 좋은 문장을 많이 부어야지.

지난 주말에는 독립출판 저자로서의 행사가 두 건이나 있었다. 아이들이 아닌 어른들을 대상으로 북토크 및 글쓰기 워크숍을 진행한 거라 많이 긴장됐다. 선생님과 학생 사이에는 약속된 대답과 호응 같은 것들이 있달까. 교실이 아닌 바깥에서 어른 대 어른으로 마주하는 행사의 흐름을 잘 가져갈 수 있을지 걱정이 들었다. 그런데 이게 웬걸. 내가 눈을 질끈 감고 던지는 유머에 웃음이 빵빵 터졌다. 짜릿했다. 그래서 용기를 더 내봤다. 우리 반 수업을 하듯이 앉아 있는 모든 청중분께 마이크를 쥐여드리며 발표를 부탁드렸다. 모두가 자

적당히 솔직해진다는 것

신의 이야기를 떨리는 목소리로 진솔하게 풀어놓으셨다. 내 이야기가 얼마나 하고 싶고 또 다른 사람의 이야기를 들어주고 싶었을까, 내가 아닌 이들에게도 외로운 밤이 있었겠구나, 싶었다. 우리가 함께 나눈 시간만큼은 따스운 시간이 되었기를 바라게 되었다.

오늘 일기는 여기까지. 이제 낮잠을 자야겠다.

이별 라디오

가을이면 구남친들과의 추억이 담긴 노래를 자주 듣곤 한다. 내 오랜 취미다. 이별 플레이리스트를 들으며 지난 연애를 곱씹는 게 은근히 재미가 쏠쏠하다. 하루 머리를 감지 않은 날, 정수리 냄새가 묻은 손가락의 향을 맡는 것 같은 은밀한 즐거움이다. 오늘은 날씨가 꼭 가을처럼 선선하다. 가을 타는 느낌으로 오늘은 이전 연애에서 가장 인상 깊은 장면을 골라 이별 배경음악과 함께 라디오 시나리오를 적어 보려 한다. 분명 우리가 주인공이었던 순간은 있었을 테니, 라디오에 나올 만도 하다.

#scene 1. 들꽃처럼/옥상달빛♬

나의 첫 남자친구, 구남친 ①이 좋아하던 노래였다. 이 노래를 들으면 그와 유채꽃밭을 함께 걷던 날이 떠오른다. 그날은 무려 내 인생 대망의 첫키스 날이었다.(물론 대학생 때 술김에 해본 적은 있는데, 앗 그건 TMI.) ①은 자꾸 나를 꽃이 무성하게 덮여 있는 구석진 곳으로 데려가려고 했다. 무슨 뽕나무 아래에서 불순한 짓을 하는 것도 아니고 유채꽃밭에서 뽀뽀 한 번 하려고 애를 썼던 ①을 서른다섯, 지금의 내가 떠올리니 참 짠하기도 하다. 처음 손을 잡을 때, 처음 포옹을 할 때만큼이나 좋으면서도 입술을 접촉하는 것에 대한 이상한 거부감이 들어서 계속 피해 다녔더랬다. 요즘엔 스킨십을 내가 주도하는 연애를 하는 편이지만도. ①과 나는 타이밍이 안 맞았다나 뭐라나. 후후훗.

#scene 2. 미운 오리 새끼/god♬

구남친 ②는 나쁜 놈이었다. 개자식 ②와 헤어지고선 창원 용지공원 호수를 계속 돌았다. 그 호수가 창원 사람들에겐 석촌호수다. 진짜 크다. 그 큰 호수를 '미운 오리 새끼'를 들으면서 계속 돌았다. 세상 버려진 오리 새끼처럼 터벅터벅 걸어 다녔던 데에는 이유가 있다. 내가 ②의 세컨드 여친이라는 사실 때문이었다. 그 사실을 알게 된 건 ②의 이름으로 걸려 온 전화를 받고서였다.

나: "어, 자기야."

②의 여친: "당신 누구야."

나: "저는 ②의 여자친군데요. 당신 누구야."

②의 여친: "뭐래, 내가 여친인데."

나: "(현타)혹시 사귄 시점이 어떻게 되실까요?"

②의 여친: "(급 존대)2년 넘었고, 이 새끼 원래 자주 이래요."

이런 대화를 주고받고 나서야 내가 그의 심심풀이 땅콩이라는 사실을 알았고, 그래서 난 역시 쿨하게 상대에게 말했다.

"앞으로 절대 만날 일 없을 테니 저한테 연락하지 말라고 하세요."

하지만 난 역시 쿨하지 못했다. 묻고 따지지도 못하고 방 안에서 잔뜩 울기만 했다. 털어놓을 곳이 필요해서 연락처를 뒤져봤지만 누구에게 연락해야 할지 망설여졌다. 네이버에 '한국생명의전화'(1588-9191)를 검색해서 전화를 걸었다. 상담원 언니에게 있었던 일을 울며불며 털어놓았다.

나: "이차저차 해서 쪽팔려요. 죽고 싶어요."
상담원: "또 멋진 사람이 찾아올 거예요. 일단 살아야죠."

그 후로 다섯 번의 연애를 더 했고, 또 할머니가 되어서도 더할 예정이니 살아있길 잘했다. 나야.

#scene 3. 오래된 노래/스탠딩 에그 ♬

나보다 여덟 살 많던 구남친 ③과 헤어진 건 태국 방콕에서였다. 여행을 오기도 전부터, 자기 일이 바쁘다는 이유로 내게 여행계획을 모두 미루었다. 여행을 와서는 내가 여행 가이드인 줄 아는지, 길을 못 찾으면 계속 화를 냈다. 그렇게 시작된 싸움에 서로 길을 틀어 따로 숙소에 들어가게 되었다. 호텔 엘리베이터에 타려면 카드키가 필요했는데 ③이 연락이 안 되었다. 나는 망명자처럼 내 나라도 아닌 곳에서 로비에 홀로 앉아 시간을 보내야 했다. 카드키 없는 설움이 이런 거구나, 여행 설계는 내가 다 했는데, 나쁜 노무 시키,라고 욕을 하며 이를 부득부득 갈았다. 우리의 피날레는 다음 날 쇼핑센터로 가는 길거리에서였다. 그의 불평을 참다못한 내가 소리를 질렀다.

"네가 그러니까 아직 그 나이에 장가를 못 간 거야!!! 우리 헤어져!!!!!"

지금 나는 그 당시 ③과 같은 나이가 되었다. 그때 소리 지른 게 이제 나한테 메아리쳐 돌아온다. 오래된 노래처럼 귀에 자꾸 맴돈다. 참고로 오래된 노래는 ③이 좋아하던 노래였다. 스탠딩에그 콘서트 간 날도 싸웠었네….

적당히 솔직해진다는 것

잘 헤어졌다.

#scene 4. 봄눈/안화용 ♬

　구남친 ④와 처음 헤어지고서 만든 노래였다. ④와 헤어지고서 나는 이 노래를 만들어 공연에서 부르고 다녔다. 봄에 헤어진 사랑이 봄눈처럼 내려 새로 돋아날 봄눈을 자라게 한다는 노래였다. 다가올 계절에 또 다른 사랑을 너는 만나겠지, 같은 가사를 담아서 만들었다. ④가 이 자작곡을 어디서 전해 들어서였을까. ④에게서 두 달 만에 전화가 왔다. 우는 ④의 목소리에 나도 펑펑 울었다. 울다 보니 어느새 재회했다. 그리고 3년을 더 만났다. 이 노래 없이 첫 이별에 진짜 헤어졌으면 좋았을 3년이었다. 노래를 만들 만큼 고왔던 ④에 대한 내 사랑은 봄눈이 녹듯 사라져버렸다. 봄눈이 나듯 새 사랑으로 자라지는 못했다. ④와 헤어지면서 헤어짐에 적기가 있다는 것을 알게 되었다. 어떤 이별이든 그 후에 배우는 게 있다. 이제는 헤어짐을 잘 받아들이는 편이 된 것 같다. 맞나? 최근 구남친들 동의하는가.

다음 장면은 아직 편집이 덜 된 이별이라 쓸 수가 없다. 어느 시간을 영화 속 장면처럼 잘라내 글을 써야 할지 명확하지 않아서다. 둘이 있다 혼자가 되어도 난 강하다는 의미로, 요즘에는 샤이니의 'Hard'를 듣고 있는데, 꽤 도움이 된다. 열정적이면서도 주체할 수 없는 민호의 불꽃 같은 에너지가 나를 충전시켜주는 것 같다. 혹여나 이 글을 읽고 내 플레이리스트가 궁금해졌다면 멜론에서 디제이 'book4oto'를 찾아보시길. 이 이야기로 이별 라디오를 진짜 하게 되어도 재미있겠다는, MBTI 슈퍼 N다운 상상을 하며 이야기를 마친다.

적당히 솔직해진다는 것

외롭지 않을 때 맥주를 마시는 편이지만 오늘은 마실래

편의점에서 라면과 함께 마시려고 산 초록색 체코 맥주였다. 라면을 한 입 먹은 후에 맥주를 따르려고 하니 직원이 와서 말렸다. 편의점 안에서는 술을 마실 수 없단다. 그래서 편의점 바깥에 앉아서 마시는 사람들이 있었던 거구나. 깨달음과 함께 맥주를 고이 가방에 넣어 집으로 돌아왔다. 냉장고에 넣어두고 며칠이 지난 오늘, 양념치킨이 당겨서 교촌치킨에 레드맛으로 배달을 시켰다. 치킨에 함께 곁들여 마시려고 지난번에 넣어둔 맥주를 꺼냈다. 냉장고에 넣어두었는데도 왠지 미지근해서 술 마시는 맛이 안 났다. 그래도 취하고 싶어서 냅다 들이켰다. 외로워졌다.

외로움. 외로움 따위 생각해봤자 사는 데에 필요 없는 성가신 감정이라고 생각했다. 다시 그 세 글자를 마음속에 구겨 넣기 바빴던 지난 한 주였다. 맥주를 꿀꺽꿀꺽 삼키다 보니 이 속에 구겨 넣은 외로움이 온몸으로 느껴졌다. 난 언제 외롭지. 지금이다. 지금처럼 술에 달큰하게 취했는데 나 혼자 취해 있는 것 같고 세상은 맨정신이라고 느껴질 때 난 외롭다. 온갖 상념들에 사로잡히게 된다. 물론 이 취기가 가시고 나면 외로움도 언제 있었냐는 듯 깔끔하게 사라질 것이다. 술은 사람을 더 외롭게 한다. 그래서 난 외로워질 것만 같을 때는 술을 잘 마시지 않는다. 그런데 오늘은 왠지 마시고 싶었다. 술을 안 마셔도 외로운 마음이 드는 날이었기에. 초록색 체코 맥주로 진짜 마음을 위장하고 싶었다.

기분이 이상했다. 내가 꽤 좋아했던 사람이 나를 다시 마음에 들어 하기로 했다는 사실을 알게 되어서다. 그건 어쩌면 나를 한동안은 싫어하기로 했었다는 것에 대한 반증도 되

적당히 솔직해진다는 것

는 것이었다. 서운했다. 이윽고 나를 다시 싫어하게 만들고픈 마음이 들었다. 그리고 나도 그 사람을 싫어하고 싶었다. 근데 그게 내 마음대로 잘 안 됐다. 좋아하는 사람의 속내를 알게 되는 것은 연약해지는 일이라 그렇다. 사람에 좌지우지되는 게 싫다. 미치게 외로웠다. 맥주를 마셔서 외롭게 느껴지는 거라고 나를 속이고 싶어서 기다란 맥주 한 캔을 꿀꺽꿀꺽 다 삼켰다. 이 외로움은 글로 써서 사람들과 나누어야 괜찮아질 것만 같아서 아이패드를 켰다. 글을 쓰다 저번 주 부비프 사장님인 은지 님에게 들은 말이 떠올랐다.

"말로 하면 날아가 버릴까 봐 글로 쓴다니. 이제 선생님보다 작가로서의 안화용이 더 크게 느껴져요."

나 자신이 초라해 보이고 다른 사람들보다 작아지는 이 순간마저 내겐 글감이다. 나는 외로워지더라도 그게 글감이 된다면 그 감정을 증폭시키려 맥주를 마시는 작가가 되었나 보다. 이걸 어쩌면 좋지. 좋은 건가. 글만 쓰면 더 외로움만 찾게 될까 봐 오늘은 오랜만에 기타를 꺼냈다. 튜닝하고는 검정치마의 'Love shine'을 불렀다. 그렇게 외로운 일요일을 노랫가락에 흘려보냈다. 다음에는 햇살이 쨍하고 기분 좋은 날, 축배의 의미로 기분 좋게 맥주를 마시게 되었으면 좋겠다.

적당히 솔직해진다는 것

곳에 따라 서로 다른 사람이 되어

곳에 따라 서로 다른 사람이 되어.

글방에서 받은 글감이었다. 곳에 따라 달라지는 내 모습을 떠올려봤다. 이 글감으로 글을 쓰려다 포기하길 여러 번. 요즘은 사소한 일기만 글방에 제출했던 게 아쉬웠던 터라, 꼭 글감으로 내 이야기를 완성하고 싶었다. 키보드에 힘을 실어 타이핑하며 글을 썼다.

마산에서의 나는 게으름뱅이다. 가족들과 함께 있을 때면 그렇게 된다. 어렸을 때부터 우등생이라는 이유로 공부를 멀리하는 동생 지용이보다 우대를 받았던 이유가 크다. 하루에 열두 시간 장삿일을 하는 엄마 대신 지용이는 내 뒤치다꺼리를 했다. 주말이 되면 나는 고등학교 기숙사에서 평일에 모아둔 빨랫감을 한가득 세탁기 앞에 던져놓았다. 공부 스트레스를 푼다는 이유로 주말 내내 티브이를 실컷 보고 엄마가 해놓은 음식을 데워 먹었다. 지용이는 내가 만들어놓은 엄마의 일거리를 대신 치워두곤 했다. 나는 지용이가 빨아둔 옷가지만 날름 챙겨서 얌체같이 기숙사로 사라졌다. 사실 서울대에 갈 정도로 공부를 잘했던 것도 아니었는데 걔 눈에는 내가 얼마나 같잖았을까 싶다. 지금도 마산과 가까워지기만 하면 게을러진다. 이런 나를 보면 엄마와 지용이는 진심으로 걱정스러운 눈빛으로 묻는다.

"네가 진짜 선생님 노릇을 한다꼬? 정말로? 진짜로?"

학교에서의 나는 흡사 연예인이다. 코로나로 실시간 화상수업을 하면서 전국의 교사들은 인상착의가 알려져 모두 동네 연예인 비슷한 존재가 되었다. 어쩔 수 없이 동네 안에서는 매사 조심해서 행동하게 된다. 나는 당신을 모

적당히 솔직해진다는 것

르는데 당신은 나를 아는 것 같은 느낌이 왔을 때, 그 느낌을 절대로 무시해서는 안 된다. 내가 그랬다가 헬스장 샤워실에서 학생의 보호자와 벌거벗은 상태로 마주치기도 했다. 어디를 가려야 할지 고민해야 하는 상황을 실제로 접할 줄은 몰랐다. 그래서인지 마산에서의 게으름뱅이는 개학만 하면 냉수마찰을 한 듯 정신을 차린다. 난 우리 반 아이들의 본보기며, 흡사 동네 연예인이라는 사실을 떠올린다. 곳에 따라 적절한 긴장감이 필요하다.

인스타그램에서의 나는 애서가다. 2018년부터 @book4oto 계정에 책을 읽고 꾸준히 독후감을 올리고 있다. 처음에는 셀카, 반려견 라떼, 음식, 여행 등 사진을 찍는 대로 마구마구 올렸다. 그중 책 사진에 유독 반응이 좋았어서 책스타그램을 주로 하게 됐다. 내 팔로워들은 아마 내가 책 읽는 모습에 좋은 영향을 받고 싶어서 내 계정을 팔로우했을 것이다. 사이버 세계 속 멋진 나를 위해서는 현실 속 방구석에서의 지질한 나를 채찍질해야만 했다. 그러다 지난달에 번아웃이 왔다. 그런 나에 대해서는 SNS에 올리지 않았다. 사람들이 그걸 알고 싶어 하지도 않을 것 같고 그걸 올릴 기력조차 없기도 해서였다. 가상의 내가 너무 거대해지면 현실의 내가 허덕이게 된다. 그래도 영향력은 가지고 싶은데. 이게 무슨 모순되는 심리람.

곳에 따라 달라지는 내 모습이 비겁하고 변덕스럽게 느껴지다가도 융통성 있고 유연해 보이기도 한다. 변온동물처럼 빠르게 적응해야 살아졌던 세월들 때문일 거다. 오늘따라 글이 한탄스럽게 써졌다. 원래는 시적이고 우아한 글을 써내고 싶었다. 쩝. 암튼 어찌어찌 반 칠십을 살아온 나에게 박수를 보내련다. 남은 생도 변덕스럽지만 유연하게 잘 살아내고 싶다. 이 글을 읽는 여러분도 '내' 마음이 이끄는 곳에서 이리저리 무사하게 잘 살아계시길.

적당히 솔직해진다는 것

없는 날

　　오늘은 없는 날이다. 지난주 오프라인 글방을 다녀와서 나도 나만의 재미있는 글을 써야겠다고 마음을 먹었는데. 쓸 이야기가 없다. 지난 한 주 동안 바쁘긴 했다. 곧 텀블벅 펀딩을 시작할 책 홍보를 잔뜩 하고, 굿즈 제작을 하러 이리저리 돌아다녔다. 그리고 남는 시간엔 고양이 율무를 바라보다가 낮잠을 잤다. 갑자기 없어진 사람이 꿈에도 나오기도 했다. 이제야 실감이 드는 헤어짐에 눈물도 흘리다가 꿈에서 깨선 핸드폰 서핑을 하며 시간을 보냈다. 가수 영탁이 막걸리 상표에서 이름을 떼게 되었다는 뉴스에 '막걸리 한잔'을 부르던 사람이 없다는 걸 실감하고. 곧 내 이름으로 나올 책을 그 누구보다 자랑하고 다녀줄 사람이 없다는 걸 실감하고. 여름을 가장 좋아하는 사람이 내 아는

이 중에 이젠 없어졌다는 걸 실감하는 날. 쓸 이
야깃거리가 없는 날이면 그의 부재를 온몸으로
맞아내야 한다.

그가 없어진 지 두 달이 지났다. 책을 하필
지금 당장 만들어야겠다고 생각한 건, 누군가가
없어졌음을 느끼는 시간을 없애고 싶어서였다.
두 개의 독립출판 프로그램에 등록했다. 내게
출판을 가르쳐주시는 작가님들께 선언하듯이
말했다. "책을 만들어야겠어요."라고. 생계를 부
양해서 일을 해야겠다는 듯이, 배가 고파서 밥
을 먹어야겠다는 듯이, 스케줄이 없는 날이 없
어야 하니까 책을 만들기로 했던 것이다. 책을
내기 위해선 퇴고를 거쳐야 했다. 내가 쓴 글을
다시 읽고, 또 읽는 일. 퇴고할 땐 아무렇지 않
았는데, 인쇄소에서 가제본을 받아와 그가 쓰인
종이를 만지니 실감이 났다. 이젠 없구나. 진짜.
이 부분 보여줬으면 좋아했을 텐데. 여기 없어.

두 달이나 지나서 늦게 운다. 오늘 쓰고 싶
은 글은 이런 글이 아니었는데. 쓸 거리가 없어

서 결국 쓰고 말았다. 어디로 도망가듯 바빠진 내 솔직한 마음을 여기에 쓰고야 만다. 어디에 올리지도 못할 글은 무용해서 쓰지 않는 편인데도, 오늘은 결국 마음을 뱉어내는 쓸모없는 글을 써버렸다. 그에 대한 내 마음을 너무 얕잡아봤다. 이 파일은 곧 휴지통으로 들어갈 거고, 없던 글이 될 거다. 다가오는 일주일 동안은 재미있는 일을 잔뜩 해서 없는 날을 없애야지. 그래서 나만큼이나 내 소식에 기뻐해주며 호들갑을 떨 사람이 이제는 없다는 걸, 보고 있어도 나를 보고 싶어 하던 사람이 없어졌다는 사실을 까먹어야지, 한다.

3부

언젠가 마주할

내일이 있어서 다행인 오늘

내가 알고 있는 어떤 말로도 내 마음을 적확하게 표현할 수 없다. 그동안 사놓은 책들을 뒤적거리며 이 심정을 대변해줄 문장을 찾는 데에 하루를 쏟았지만, 그런 책은 찾지 못했다. 아직 내일 하루가 연휴로 남아있으니 얼마나 다행인지. 틈틈이 사놓은 책들이 한가득 적금처럼 쌓여 있어 마음이 든든하다.

내가 바라는 나의 미래는 실로는 꽤 소박하다. 우선은 내 주어진 수명을 도중에 포기하지 않고 끝까지 살아 있는 것이다. 이왕이면 베스트셀러도 팔고 교직 정년퇴임 후에 든든한 노후 자금까지 확보한 삶이면 좋겠지만, 그건 원한다고 이루어지는 일이 아니다. 그저 이번 생을 우울하다는 이유로 포기하지만 않아도 그게 어딘가 싶다.

　　오늘은 평소보다 일찍 잠자리에 누웠다. 자는 동안만큼은 여행자가 된 것처럼 꿈속을 바삐 다니느라 잡생각을 할 수가 없다. 깨어 있는 것은 마음이 번잡스러워지는 일이다. 오늘을 어서 마무리하고 싶어서 서둘러 잠을 청하려 이부자리를 폈다.

　　난 언제쯤 아무렇지 않게 될까. 다 무던히 넘어갈 수 있는 사람이 될 수 있을까. 과연 그런 날이 오기는 하는 건가. 스스로에게도 확신을 주지 못하는 내가 내 사람을 곁에 두어도 되는 걸까. 이런 생각에 빠지면 끝도 없다. 일단 오늘은 내 머릿속 걱정들과 동떨어진 책을 읽다가 곯아떨어지려고 한다. 내일로 가는 통로인, 밤을 어서 부르는 나만의 방법이다.

용의 꼬리도 되고 싶은 뱀의 머리

영화 <어디 갔어, 버나뎃>* 을 봤다. 버나뎃은 마음만 먹으면 용의 머리가 될 수 있는 자다. 그런 사람들을 보고 있으면 질투가 난다. 나도 용의 머리가 될 수 있는 재능이 있다면야 지금 하는 뱀의 일들을 모두 그만두고 싶다. 아쉽게도 나에겐 그런 큰 재능은 없다. 신은 무심하게도 내게 분산 투자하셨다. 재능 몰빵은 시시각각 변화하는 21세기 현대사회에 너무 위험한 투자였을지도 모른다. 나처럼 잔잔바리 재능인도 있어야 지구가 돌아가니까 나 같은 사람도 세상에 필요할 거다. 내 재능은 ETF 상품, 비빔밥 같다. 대형 성장주는 못 된다. 연금처럼 쌓는 재능이다.

* 마리아 샘플의 동명 소설을 원작으로 한 2020년작 드라마 코미디 영화.

하필 나는 또 뱀띠다. 생애 내내 꾸준히 노력하면 용의 꼬리에 편입될 수도 있을 테지만, 뱀의 머리를 자처하고 사는 편이 나을지도 모른다. 제대로 빛나지도 못할 작은 여의주를 쥐고 이무기로 사는 것보다는, 허망한 꿈을 내려놓고 뱀의 머리가 되어 열심히 세상을 헤엄치며 사는 게 어쩌면 신이 주신 나의 운명이 아닐까. 학년을 대표하는 부장 교사도 해봤으니 이미 뱀의 머리가 되어봤기도 하다. 머리면 좋은 거라고 중얼거리며 익숙한 패배감에 젖어 들 때쯤 내 초라한 여의주들이 고개를 든다. 우리들도 한 번은 반짝여보고 싶다고.

그때 이 생각이 스쳤다. 용의 꼬리도 되고 뱀의 머리도 하면 되는 것 아니냐고. 뱀의 머리로 열심히 돈을 벌면 용의 꼬리에 기생은 할 수 있을 것 같다. 그래서 난 내 꿈들을 버리지 않기로 했다. 알전구 같은 나의 여의주들을 일단 품어보기로 했다. 미천한 재능으로 등단 작가는 될 수 없겠지만 내 돈으로 작가로 등장하는 것, 평론가가 되기에는 깊이가 없지만 재미있는 책을 알려주는 챗스타그램은 계속하는 것, 대학원에서 배운 인공지능으로 대박 앱은 못 만들어도 소소한 오픈코드로 세상에 도움이 되는 것 같은. 작지만 내 이름만큼 특별한 여의 주들을 품으며 뻔뻔하게 살 거다. 가보자고.

적당히 솔직해진다는 것

1318

곧 있으면 생일이다. 연말이라 그냥 있어도 한 살 먹는다.(이 글을 쓴 시점에는 해마다 나이를 먹었다.) 생일까지 껴서 만으로 한 살 또 먹는다. 괜히 억울한 심정이다. 떡국은 잘 챙겨 먹지도 않는데 마치 두 그릇 먹은 것 같이 나이에 체할 것 같다.

다음(Daum) 사이트에 로그인 할 때면 아이디를 물끄러미 보게 된다. 소스라치게 놀라기도 한다. 영문 숫자 조합의 아이디에 들어간 숫자가 1318이기 때문이다. 열세 살 때 처음 만든 아이디다. 그때의 난 내가 1318세대, 곧 방랑 13세와 낭랑 18세 사이에서 영원히 머물 줄로만 알았다. 현 나이를 반영해서 3338로 아이디를 바꿔야 하나 싶다가도, 서른여덟 살도 금방

왔다 지나갈 나이라는 생각이 들었다. 애초에 아이디에 나이를 넣는 게 아니었는데.

어른이 되어간다는 느낌에 나이를 먹는 게 즐거운 때도 있었다. 이제는 푹푹 한숨이 나온다. 밀린 빚에 이자가 잔뜩 늘어나는 느낌이다. 고등학교 때, 나이만큼의 속도로 시간이 흐른다던 선생님의 말씀이 괜한 이야기가 아니었다. 그러고 보니 어느새 그 무렵 선생님과 내가 비슷한 나이가 되었다. 시간 참 빠르다. 엄마와의 대화도 떠오른다. 방학마다 마산 집에 내려가면 엄마와 나는 같은 침대에서 잔다. 커다란 킹사이즈 침대 위, 엄마 옆에 누워 나이에 대한 푸념을 늘어놓게 된다.

"엄마 딸 벌써 삼땡이오."
"그렇소, 딸. 그대도 곧 40이고 50이오."

연말 시상식을 보며 엄마와 만담을 주고받다 보니 어느새 서른다섯이 코앞이다. 나이가 뭐라고, 내 나이가 어떠냐며 넘기기엔 생물

적당히 솔직해진다는 것

학적인 노화를 요즘 피부로 느끼는 중이다. 바로 주름이다. 푼수 친구의 유머에 한바탕 웃고 나면 웃음길이 나 있다. 한창 어릴 땐(어르신들 죄송합니다.) 모세의 기적처럼 갈라졌다 길이 다시 합쳐졌단 말이다. 요즘 그 길은 상시 개통이다. 주름선을 따라 손으로 문질러주면 약간은 길이 희미해지는 것도 같아, 아직은 회생할 수 있다며 안도하기도 한다.

　　다음은 기억력이다. 상식 퀴즈 프로그램을 보며 문제를 푸는 것이 나의 낙이었는데, 이젠 순발력 있게 단어를 떠올리는 것이 어려워졌다. 수업 중 적재적소의 설명을 하려면 '그 단어'가 필요할 때가 있다. 그런데 도통 기억이 안 날 때, 나는 설명을 위한 '그 단어'를 우리 반 학생들에게 이중으로 퀴즈를 낸다. 신기하게도 내가 자주 쓰는 단어를 기억해주는 학생들이 있다. 다행이다. 아, 세월. 이 글을 쓰는 동안에도 차마 기억해내지 못한 단어들이 너무나 많다. 아마 내 머릿속엔 유실물, 아니 유실 단어 보관소가 있을 것이다.

마지막으로 흰머리다. 흰머리가 움트는 좌표도 유전이 되는 건가. 엄마의 흰머리가 자주 출몰하던 딱 그 부분에 나도 흰머리가 난다. 수맥을 짚은 듯 손가락을 척 갖다 대고 거울 앞에서 머리카락을 들추면 꼬마 흰머리가 쑤욱 고개를 내민다. 이런 잡초 같은 흰머리 같으니라고. 뽑아도 또 난다. 질긴 놈이다. 뭐라도 나면 감사하게 되는 때가 올 거라는 엄마의 말에 고개를 갸우뚱하게 된다. 모발모발. 세월세월. 아아아.

오늘은 직장동료와 함께 집에서 와인 파티를 하기로 했다. 아마도 때가 연말인 만큼 나이를 주제로 이야기하게 될 거다. 아직 먹을 떡국도 나이도 가득인데. 나이를 먹을 때마다 이렇게 우울해지기는 싫다. 언제쯤부터 태연해질까. 오히려 그날이 기다려진다. 나이는 먹을수록 좋다던 인생 언니들의 말이 나에게도 통했으면 좋겠다. 그 말을 떠올리다 보면 나는 어떤 중년, 어떤 노년으로 늙어가게 될지 궁금해지기도 한다. 나이야 가라. 나이아가라. 우리 엄마표 유머로 오늘의 푸념을 넘어가본다. 풋.

저당히 솔직해진다는 것

쫄보의 파도타기

제주도 여행을 떠나기 전의 초여름이었다. 그해 여름, 연인 사이였던 태백이가 내게 서핑을 해보자고 했다. 수영을 못할 뿐더러, 물에 빠져 죽을 뻔한 적도 두어 번 있었던 지라 덜컥 겁부터 났다. 내게 서핑이란 활활 타오르는 불꽃 속에 맨몸으로 들어가는 것과 같은 일이었다. 물속은 조용하면서도 무서운 공간이었다. 그래도 발이 닿고 호흡을 확보할 수 있는 정도의 높이에서는 물에 대한 두려움을 느끼지 않기 때문에 도전해보기로 했다.

평소에 당차 보이려 내게 주어진 과제를 얕잡아보는 척, 그러나 혼자 있을 땐 과제에 대해 집중 탐구를 하는 편이지만, 서핑만은 그럴 수 없었다. 티브이에서 운동신경이 좋은 사람도 서핑에 실패해서 물을 먹고 좌절하는 장면을 여러 번 봤기 때문이었다. 수영도 할 줄 알고 운동신경도 좋은 사람들이 실패하는 게 서핑인데, 수영도 못하고 물도 조금은 무서워하는 내가 어떻게 감히 서핑에 성공할 수 있겠나 싶어 걱정되었다. 애월에 위치한 서핑 숍에 가기 전까지 며칠을, 구릿빛 피부의 강사님들이 그득한 서핑 숍에 도착한 그 순간까지도 걱정과 불안의 말을 태백이에게 잔뜩 쏟아냈다.

"태백아, 나 한 번도 성공 못 하면 어떡하지? 걱정돼."

"사람이 모든 걸 다 잘할 수 없어. 실패해도 너무 속상해하지 마. 파이팅."

모든 걸 평균 이상으로 해내야 직성이 풀리는 내게 예정된 실패가 다가오고 있다니. 마음이 무거웠다. 서핑 숍에서 이론 및 안전교육이 먼저 시작되었다. 강사님께서는 수강생들의 레벨을 확인하고자 이렇게 물으셨다.

"수영 못하시거나 물이 조금이라도 무서

적당히 솔직해진다는 것

운 분 있으시면 손 들어주세요."

공교롭게도 두 질문에 손을 든 건 열 명 남짓한 수강생 중에 오직 나뿐이었다. 내 대각선에 앉아있던 초등학생 두 아이가 나를 비스듬하게 바라보는 게 느껴졌다. '수영 못하시는 분들', '물 무서워하시는 분들'이 조심해야 하는 것들에 대해 강사님이 설명할 때마다 두 아이의 시선은 묘하게 나를 향했다. 너무 부끄러웠다. 아마 저 아이들도 나의 실패를 예견하고 있는 것일 터였다. 서핑은 몰라도 눈싸움은 지고 싶지 않아서 두 아이에게 매서운 눈빛을 보냈다. 애들 상대로 왜 그랬을까. 아놔.

곽지해수욕장 모래사장으로 향했다. 서프보드 두 개를 태백이와 함께 양팔에 들고 군대 훈련을 하듯 해변가로 씩씩하게 걸었다. 간단한 준비운동을 한 후 본격적인 지상 교육에 들어갔다. 서프보드 위에서 바로 서는 법을 땅에서 먼저 연습했다. 초보자용 보드라 크기가 꽤 컸다. 작은 뗏목을 타는 것과 비슷하게도 느껴져서 마음이 괜히 든든해졌다. 강사님께서는 서핑 숍에 따라 룰이 달라질 수 있다는 점을 강조하셨다. 로마에서는 로마법을 따라야 하듯, 이 서핑 숍 관할의 바다에서 서핑하려면 이곳의 룰을 배워야 했다. 마치 심폐소생술 실습수업을 들을 때처럼 비장하게 눈에 불을 켜고 지상 수업에 참여했다.

내가 배운 다섯 가지 서핑 동작은 다음과 같다.

1. 보드에 올라타 일자로 엎드려 눕는다.

2. 갈비뼈가 있는 몸통 양옆 보드 바닥에 손을 짚는다.

3. 손을 짚은 채로 팔을 쫙 펴서 상체를 들어 올리고 시선을 정면 멀리에 둔다.

4. 일어나서 서퍼 자세를 취하며 무게중심을 잡는다.

5. 하와이 말로 "샤카!"를 신나게 외치며 중간 세 손가락을 접어 샤카 포즈를 취한다.

* 하와이 인사법으로 '알로하'를 뜻하는 손동작.

적당히 솔직해진다는 것

스노보드를 타는 동작과 서핑이 거의 흡사해서 포즈를 익히기가 어렵지는 않았다. 수영도 못하는 주제에 괜히 자신감이 생겼다. 보드 위에 서는 것에 실패한 미래의 나를 위로할 계획까지 마친 채로, 서프보드를 끌고 바닷속으로 향했다. 차가운 물이 살갗에 닿자, 심장이 미친 듯이 뛰기 시작했다. 혹여나 서핑에 실패하더라도 웃기지만 않게 입수해서, 나를 무시하던 아이들의 웃음거리는 되지 않기를 속으로 빌었다.

태백이가 1번 타자였다. 실패해도 괜찮다고 나를 미리 위로했던 그는 가장 빨리 물에 빠졌다. 시원하게 물을 마시며 입수했는데 그 모습이 마치 슬픈 물개 같았다. 너무 안 괜찮아 보여서 나는 크게 웃어버리고 말았다. 실패해도 괜찮다며 놀리다 보니 내 차례가 되었다. 강사님의 말씀만 떠올리며 보드 위에 섰다. 얼레? 나는 진짜 일어서서 파도를 타고 있었다.

1번에서 4번 동작을 모두 성공했기에 5번 동작인 샤카를 외쳐야 했는데 그럴 정신도 없이 나는 기쁨에 잔뜩 취해버렸다. 그리고 곧 두려움이 따라왔다. 보드에서 어떻게 내려갈지 주저하는 사이 서프보드는 낮은 수심에 도착했다. 우스꽝스럽게 곤두박질치며 넘어졌다. 무릎 살갗이 모랫바닥에 쓸려서 상처가 났지만 아픈 줄도 모르고 그저 신이 났다.

보드를 다시 물속으로 끌고 들어갔다. 파도를 타기 위해서는 온 힘을 내어 보드를 물속으로 끌어야 했다. 물속에서 만난 사람들은 내게 손뼉을 쳐주었다. 열등생일 줄 알았던 내가 가장 우등생이 되다니. 감격스러웠다. 태백이의 격한 칭찬을 받으며 다음의 서핑을 위한 에너지를 충전했다. 파도를 탄다는 건, 가장 덩어리가 크고 단단한 기쁨을 느껴보고 만져보는 것과 같은 일이었다. 파도를 기다리는 황홀감에 어린아이처럼 방방 뛰며 태백이와 물장난을 쳤다. 이번 파도타기도 성공했다. "샤카!"라고 외치려고 했으나, 긴장한 탓에 '피스' 손

156 　　　　　　　적당히 솔직해진다는 것

동작을 하며 세계 평화를 기원하고 말았다. 멀리 모래사장에 있던 사람들이 나를 보며 웃다가 크게 손을 흔들며 샤카 손동작을 알려줬다. 영문을 몰랐던 나는 더욱 크게 '피스' 손동작을 멋진 표정으로 흔들었다. 갖가지 다른 이유로 다들 빵 터져 웃었다. 나도 오랜만에 크게 웃었다. 다음의 파도는 더 깊고 더 높은 곳에서 타보고 싶다. 아직 완전히 가지도 않은 여름이어서 돌아왔으면 좋겠다.

아, 그리고 이건 여담인데 아까 그 두 초등학생은 내 서핑 실력에 반한 게 분명하다. 내게 기립박수를 쳐주었기 때문이다. 물론 서프보드를 들고 있는 물속에서는 서 있어야 하지만, 어쨌든 그것도 기립박수로 친다면 기립박수인 것이다.

엄마의 화이트 크리스마스

　엄마가 한 달이 뭐야, 두 달도 족히 먹을 김치를 택배로 보내주셨다. 나 혼자 이걸 어떻게 다 먹으라고. 김치 양에서 엄마의 어마어마한 사랑이 느껴져서 눈물이 쏙 나왔다. 혹시나 양념이 새어나갈까 세 겹으로 밀봉된 채 다행히도 여기 멀리까지 잘 왔다. 한 겹씩 뜯어내니 냄새가 점차 진하게 풍겨왔다. 냄새 지분의 대부분은 아무래도 멸치액젓일 것이다. 후각을 잃어 맛을 잘 느끼지 못하는 엄마가 순전히 감으로만 멸치액젓을 배추 양념에 고루 뿌리는 장면이 눈에 선했다. 어떤 과학적인 과정으로 양념이 잘 섞여, 이렇게 엄마 맛이 나고야 마는 걸까. 감격하며 김치를 밥도 없이 허겁지겁 짜게 먹었다. 엄마를 못 본 두 계절 동안 엄마 맛에 굶주려왔나 보다.

동생 지용이가 엄마한테 했다는 부탁이 떠올랐다. 엄마가 저세상 가기 전에 한 달은 족히 먹을 멸치볶음을 만들어놓고 가야 한다고 했단다. 멀쩡히 살아 있는 사람에게 이런 부탁을 한다니, 너도 참 징하다고 생각했다. 하긴 멸치볶음이 오래 먹기에 좋다며 고개를 끄덕이기도 했다. 그러다 나는 엄마가 반찬 만드는 걸 영상으로 미리 찍어놓을까, 하는 생각에 이르렀다. 순서대로 따라 하다 보면 엄마 맛을 재현할 수 있을지 모른다. 엄마의 손 온도까지는 같게 할 수 없으니, 손맛을 살리기란 보통 어려운 일이 아닐 것이다. 이런 부탁을 하는 지용이와 이런 계획을 하는 나 둘 다 지독한 딸내미임은 틀림없다. 엄마가 없으면 누구를 찾으며 살까. 잠시의 상상만으로도 코가 아리고 시리다. 엄마가 없었던 시절의 기억은 없어서 나는 아직 겪어보지 못한 엄마의 부재가 이토록 벌써 아픈 일일 테다. 엄마는 나를 살게 하는 사람, 내 이야기를 들어주는 사람, 내 세상의 조물주. 엄마를 대체할 수 있는 세상은 없다.

엄마의 흰머리를 뽑다가 악상이 떠올라 건넌방에 가서 만든 노래가 있다. 내 나이의 여름도 지나가는 중이라고 느끼는 요즘이지만, 그럼에도 내 계절이 엄마의 겨울을 늦출 수만 있다면 좋겠다고 생각하면서 만들었던 노래다. 엄마의 '화이트 크리스마스'에는 신나는 캐럴이 울려 퍼져 엄마가 신나고 행복했으면 한다. 바쁘다는 핑계로 연락도 자주 안 하는 못난 서른다섯 살 딸이지만 여전히 엄마 평생의 자랑으로 살고 싶다. 남은 생은 내가 엄마의 돋보기안경, 길 잡는 지팡이가 되어줘야지. 그러려면 내가 나부터 사랑하고 아껴서 든든한 사람이 되어야 할 거다. 이제 보니 "사랑해요, 엄마." 이 말을 하고 싶어서 쓴 글이네.

흰머리

소복하게 쌓였군요
그대의 머리 위로
야속하게도 잊혀져버린
그대의 이름 위로

여러 번 툭툭 털어내보아도
꽁꽁 얼어붙은
세월을 뭉쳐 놓은 빙판 아래
흐르는 푸른 추억

그대의 눈물을 머금고
나의 계절은 한여름
그댄 소복하게 쌓이는
그 계절을
쓸어 넘기네요

— 언젠가 마주할

엄마
그대에게 찾아온
겨울을 늦출 수 있다면
나의 여름을 드릴게요
우리 함께
여름에 머물러줘요

나의 한여름에 찾아온
그대의 화이트 크리스마스

적당히 솔직해진다는 것

I'll be your family

빗방울이 창문에 송알송알 맺히는 월요일, 오늘은 개천절이다. 간만의 평일인 휴일을 제대로 즐기기 위해 나의 최애 백예린 님의 공연 영상을 대형 티브이에 틀어놓았다. 개천절 무드와 어울리는 성스러운 목소리에 잔뜩 취해 있다가 문득 노래의 제목과 가사가 귀에 박혀 왔다. "I'll be your family." 지난 토요일, 에세이 쓰기 모임에서 영화 <태풍이 지나가고>*를 보고 미래의 가족에 대해 나눈 대화가 떠올랐다. 그래서 더 관심이 갔는데 가사가 영어여서 자세히는 못 들었다. 궁금증에 가사 번역을 찾아봤다. 가사에 담긴 뜻을 보니 떠오르는 기억의 파편들이 있었다. 음성으로 불러온 파편

---

* 고레에다 히로카즈 감독의 2016년작 영화.

들을 과거로부터 하나씩 꺼내어 종이에 활자로 모으며 나만의 개천절 의식을 치러보기로 했다. 단군왕검이 보면 웬 생뚱맞은 의식이냐 하겠지만.

아주 어릴 땐 아빠를 좋아했다. 엄마한테 혼날 때면 아빠 무릎에 숨기 바빴다. 아빠한테는 늘 알코올 냄새가 났다. 술을 마셨거나, 전날 마신 술 냄새가 빠지지 않아서였다. 이 세상 아빠들한테서는 당연히 나는 냄새인 줄 알았다. 그래서 난 알코올 냄새로 아빠가 내 근처에 있단 걸 알아차리곤 했다. 달려가서 아빠에게 안기는 일이 세상에서 제일 좋았던, 그런 때가 있었다. 나는 아빠를 닮았다. 미래에 대한 걱정이 많고, 자기가 맡은 역할을 잘해낼 수 있을까 불안해하며, 사람들에게 서투른 모습이 그렇다. 내가 태어나기도 전부터 아빠는 쿠키 대신 술로 기분을 달랬다고 했다. 타임머신 같은 게 있어서 아빠의 어린 시절에 내가 갈 수 있다면 달랐을까. 그래서 술 대신 다른 방법을 어린 아빠에게 알려줄 수 있었다면

적당히 솔직해진다는 것

적어도 나만큼은 행복하게 살 수 있었을까, 덜 혼자였을까, 생각한다. 영화 <어바웃 타임>*에는 시간여행을 통해 마주한 아빠와 아들이 함께 탁구하는 장면이 나온다. 나는 그 장면을 볼 때마다 방금 막 사랑하는 사람을 잃은 사람처럼 꺽꺽 소리 내 운다. 왜일까.

어릴 때도 지금도 나는 외롭다. 외로울 때면 날 닮은 아빠와 잔을 기울이며 시답잖은 농담을 나누는 상상을 하곤 한다. 아마도 그는 멋쩍게 웃으며 술을 따라주는 것 말고는 할 줄 아는 게 없을 거다. 안주로는 맛없는 아빠표 김치찌개나 어죽 같은 걸 끓여주겠지. 요즘은 캠핑이 유행이니까 낡은 텐트 따위에서 낚싯대를 나란히 들고 이야기를 나누고 있을지도 모른다. <도전! 골든벨>** 퀴즈를 푸는 게 우리 둘의 이벤트였으니까, 어쩌면 함께 티브이 퀴즈쇼에

* 시간여행자에 대한 이야기를 다룬 2013년작 영화.
** 100명의 학생이 50문제 풀기에 도전하는 KBS1 퀴즈 프로그램

나가 환상적인 콤비를 이루었을 수도 있다. 이 일을 떠올리는 건, 마치 헤어진 연인과 함께 할 수 있었을 일들의 수를 헤아려보는 것과 같다. 아빠가 남은 가족에게 준 고통은 떠올리기만 해도 사무치게 아파서 여기에 쓸 수도 없고 말할 수도 없다. 어찌할 줄 모르는 새에 나는 나이를 먹고 누가 이 집에 있었던가, 두꺼비처럼 눈만 꿈뻑거리는 어른이 되었다. 어떤 기억은 묻어주는 편이 낫다는 걸 경험으로 알기에.

그럼에도 나는 내가 사랑하는 사람들을 꼭 안아주고, 사랑하는 이가 단꿈을 꾸기를 빌고 싶다. 어떻게 하면 사랑을 할 수 있을까. 내 열망만큼 퍼주어도 부족하지 않고 넉넉히 남는 마음을 가지게 될까. 혹시나 가난하고 빈곤한 이 마음에 밑천이 드러날까 봐, 미리 겁을 먹고 연인에게서 도망가는 걸 멈추게 될까. 진심으로 행복해지고 싶다. 기꺼이 친구도 가족도 되어주고 싶은 사람들이 내 주변에 가득한데도 그 방법을 잘 알 수 없어서, 나는 어설픈 흉내를 낸다. 내게 기꺼이 사랑을 주는 이들에게서 하나씩 배우고 그걸 따라 한다. 난 이제 어른이니까. 아빠와 함께했던 슬픈 여름보다 엄마와 동생과 친구와 연인과 함께했던 기쁜 여름이 더 많이 쌓였으니까. 시간여행으로 나를 닮은 얼굴에게 가서 해주고 싶었을 일들을, 지금의 나에게 하나씩 해본다. 그러다 보면, 영원히 외면하고 싶었던 기억들과도 화해가 될 거라고. 그러다 나도 누군가에게 이 말을 전할 수 있을지도 모르는 거라고.

"I'll be your family."

행운을 빌어줘

요즘 부쩍 숨을 쉬는 게 힘들다. 가슴이 조여 오면서 심장이 딱딱해지는 느낌이 곧잘 든다. 사실 내 심장은 억울할 것이다. 잘만 뛰고 있는데, 피를 깨끗하게 하느라 열심히 일하고 있는 걔의 입장에선 내 통증이 기가 막힐 노릇 아니겠는가. 하지만 숨이 잘 쉬어지는 어느 날 어느 때면, 숨 쉬듯 쉽고 반복적인 작은 행운을 느낀다. 문득 가볍게 숨이 쉬어지는 날이면 그것이 그렇게 귀할 일이다. 오늘은 평소에 행운을 많이 쓰고 다닌 탓인지 행운의 농도가 희박한 것 같다. 숨의 무게가 느껴지는 만큼 힘들다. 의사 선생님이 주신 아침 약, 저녁 약이 있지만 그건 숨쉬기에 도움을 주는 약이 아니라는 걸 안다. 그 알약들의 효능은 날 제때 깨우고 재우는 것 뿐이다. 이것까지 의사 선생님께 말하면 또 어떤 색깔의 약이 약봉지 안에 더해질까, 싶어서 나는 그냥 있기를 택한다.

　이 터널 같은 병에 끝이 있을까. 그건 겨우 하루 숨이 잘 쉬어질 행운 따위를 비는 내가 바라기엔 너무 큰 소원 아닌가. 내 우울함에 원인 따위는 없는 것 같다. 한 시간에 10만 원을 내고 상담받으면서 덜어낸 우울. 타 먹은 약을 매일매일 부지런하게 먹으며 덜어낸 불안. 이 둘은 그날의 일과를 보내다 보면 언제 덜어냈냐는 듯 고스란히 채워진다. 내가 밝은 적이 있었나, 그런 의문이 들 때면 내가 햇살처럼 웃는 표정을 하고 있는 사진들을 꺼내어 본다. 우울이나 불안이라는 것, 잠시 왔다 또 가겠지. 괜찮아진다, 괜찮아져. 스스로를 채근하지 말자. 내가 우울하다는 이유로 주변 사람들을 괴롭히지 말자, 사라지지만 말자. 죽을 상을 하고 있더라도 나를 소중히 여기는 사람들의 시야 안에서 머무르자. 그들이 나를 부르는 소리를 들을 수 있을 만큼의 거리 안에 있자. 중얼중얼 되뇌어보는 것이다.

게으른 토요일인 오늘, <언플러그드>라는 제목의 연극을 보고 왔다. 8년 전의 내 모습이 무대 위 연극배우의 연기에 겹쳐 보였다. 기타를 치며 노래를 만들어 내 이야기를 돌려 돌려 말하듯이 부르고 다닐 때가 있었지. 선선한 바람이 불어오고 쨍쨍한 햇빛이 쏟아지던 그 봄날, 앰프로 울려 퍼지는 내 목소리에 내가 여기에 있구나,라는 걸 느꼈던, 노래하던 날들이 분명히 있었다. 극 중 멜로디에 잊고 있던 어젯밤 꿈이 떠올랐다. 내가 좋아하는 풍의 작곡을 해서 엄청 뿌듯했던 내용이었다. 물론 가락은 하나도 생각이 나지 않지만, 꿈속의 내가 웃고 있던 것만큼은 또렷이 떠올랐다. 글 쓰면서 노래도 다시 하면 어떨까. 숨고 싶어질 땐 노래하고, 나타나고 싶을 땐 글을 쓰자고. 내 노래를 듣는 관객은 그 노래를 부르는 나와 우리 집 고양이 율무뿐이라 해도.

적당히 솔직해진다는 것

물을 줘야지

　우리 집 화분 이름은 '식물이'다. 식물이에게 물을 줄 시기가 한참이 지났는데 나는 물 주기를 미루고 있다. 내 마음은 이렇게 시들어 있는데, 물만 주면 싱그럽게 살아날 식물이를 질투하기 때문일까. 물을 주고 싶지 않다. 식물이를 살리려면 오늘 안에 물을 줘야 한다. 잎이 쪼그라들어 있는 모양이 영 안쓰럽기까지 하니.

　나에게 우리 집 식물이는 영화 <미녀와 야수>에 나오는 유리병 안 장미꽃 같은 존재다. 장미 꽃잎 하나가 떨어질 때마다 점점 기운을 잃어가는 야수처럼, 식물이가 힘을 잃고 시드는 것 같을 때마다 황무지 같은 내 마음을 알아차리게 된다. 아, 나 또 메말라 있었구나. 물을 줘야겠구나. 너한테도, 나한테도.

일터에서 안 좋은 일이 있었다. 쪽팔리면서도 동시다발적으로 슬픈 일이었다. 아흔아홉개의 일을 잘하더라도 한 개를 망치면 형편없는 사람이 되고 마는구나,라는 생각이 들어서 한참을 울었다. 식물이라도 얼굴 맡에 두고 울었으면 쟤가 좀 덜 말라 있었을까, 이런 이상한 생각도 했다.

그러다 그런 상상을 했다. 지금까지의 나를 이룬 모든 것들을 다 내려놓고 무(無)로 돌아가는 상상. 드라마 <도깨비>의 '김 신'처럼 마음에 박힌 칼을 뽑아내고 아스라이 사라지면 어떤 기분일까. 내 마음속 칼을 뽑아줄 수 있는 사람이 이 세상에 있긴 한가. 어쩌면 그 칼도 결국엔 내가 뽑아내야 하는 셀프 서비스일지도. 이런 어처구니없는 망상을 하다가.

이게 다 뭔 소용이야. 난 집 대출금도 갚아야 하고, 울 가족들에게 잘 살고 있다고 걱정하지 말라고 안부도 꼬박꼬박 알려야 하는데. 그깟 마음에 꽂힌 칼 하나 대수인가 싶어서 뉴

욕풍 재즈 음악을 틀어놓고 대왕 크로플을 뜯어 먹으며 마음을 달래본다. 그래. 깔끔하게 무가 되려면 빚부터 청산하는 게 우선이지. 우선 식물이 물부터 줘야지.

삼키는 말

아침에 세 알, 자기 전에 다섯 알을 삼킨
다. 매일 먹는 알약은 여덟 개. 너무 많다는 생
각에 그만 먹고 싶다가도 잠들지 못해 괴로웠
던 며칠간을 떠올리면 처방을 따르게 된다. 깨
어 있는 밤은 길고 너무 길어서 이를 재울 처
방전과 알약을 받았던 거였으니까. 알약을 삼
킬 때마다 생각한다. 이건 내게 독이 될까, 약
이 될까. 깊이 생각하다가는 삼키기를 주저하
게 될 터였다. 약을 먹지 않으면 하고 싶은 말
을 입 밖으로 다 내뱉은 죄책감에 식은땀을 줄
줄 흘리며 진이 다 빠져버릴지도 몰랐다. 눈을
감고 어서 약을 삼켰다. 물이 없어도 알약들은
어제의 길을 따라 몸속을 타고 내려가 내 몸에
흡수된다. 하루를 시작하기도 전인데 무엇 때
문인지 잔뜩 화가 난 채로 불안해하는 내 어리

둥절한 마음을 곱게 다스려준다.

밤에 먹은 약 기운에 아침까지 몽롱하다. 아침 약을 삼키기 전까지는 몸만 깨고 마음이 얼떨떨한 상태다. 약을 삼키는 일을 깜빡하고 출근한 날은 쉽사리 짜증이 났다. 머리는 잘 돌아가서 일은 잘 되는데 내 일은 나만 잘하면 되는 일이 아니기에, 관계를 다스리지 못하면 내 일을 못한 꼴이 되고 만다. 1인분의 우울이 버거워 학생들의 마음을 돌볼 여유까지는 없게 되는 것이다. 약을 먹는 건 엄청난 장맛비에 크기가 넉넉한 우산을 쓰는 것과 같다. 장마에 작은 우산을 들면 내 종아리에 튀는 빗방울에 양말이 젖어 꿉꿉해진 기분에 쉽게 짜증이 나곤 하지 않나. 크기가 넉넉한 우산은 갖고만 있어도 마음이 든든해진다. 몸과 마음을 뽀송뽀송하게 유지해준다. 아침 약도 그렇다.

처음 처방전을 받았던 날이 기억난다. 약을 먹어야 하는 사람들은 따로 있는데 나만 괜히 자발적으로 사약 따위를 먹는 기분이 들었다. 진짜 병원에 가보면 그렇게 선한 인상의 사람들이 억울한 표정으로 처방을 기다리며 앉아 있는 경우도 많다. 약이란 거 막상 먹어보면 별것 없다. 그냥 아침밥 전에 먹는 애피타이저와 같다. 이게 뭐라고 몰래 먹어야 하나 싶다. 감기약을 숨겨 먹진 않는데 이게 뭐냐 말이다. 갑자기 그런 억울한 마음이 울컥 든다. 그래서 지금도 우리 집엔 약 봉투가 잘 보이는 곳에 버젓이 놓여 있고 내 가방엔 여분의 약 봉투가 들어있다. 그냥 들고 다니면서 때 되면 꺼내 먹는다. 당 떨어져서 초콜릿 먹듯이 웃으면서 뜯어서 먹으면 된다.

얼마 전엔 회전초밥 집에 갔다가 병원에서 받아온 약 봉투를 통째로 놓고 올 뻔한 일이 있었다. 뭔가 허전하다 싶더니 가방 속에 약 봉투가 없었다. 얼른 돌아가서 내 일용할 약들을 챙겨 왔다. 가시가 돋친 말을 삼키려면 난 약이 필요하니까. 내 말엔 가시뿐만 아니라 잘 떼어지지도 않는 끈끈이 기능까지 있다. 맨 정신으로 말을 했다가는 누군가에게 상처를 줄지도 모른다. 대학생 때 있었던 일처럼. 우리 학우들의 단골 장소인 '즐거운 노래방'에서였다. 동아리 친구들과 노래를 부르는 와중에, 동아리 오빠가 벽 한 부분을 짚으면서 나를 불렀다. 대수롭지 않게 본 벽면엔 이렇게 적혀 있었다.

안화용 너, 그렇게 살지 마

괜찮은 척했다. 눈치 없는 사장님이 서비스로 주셨던 노래방 시간을 꾸역꾸역 다 쓰고 하숙집 방에 빠른 걸음으로 돌아왔다. 펑펑 울고 싶은 마음에 무릎을 끌어안고 앉았지만, 엄청 속상한데도 눈물이 안 났다. 아마 내 잘못이라고 여겨서 눈물이 안 났던 것 같다. 속상함을 죄책감이 이긴 거다. 10년이 넘게 지난 일이지만 그날과 날씨가 비슷하게 흐린 날이면 그 낙서가 떠오르곤 한다. 그런 날이면 다짐한다. 오늘도 말을 잘 삼켜내자고.

나는 앞으로도 내가 말을 잘 삼키는 사람이었으면 좋겠다. 삼킨 말들을 잘 품고 있다가,

행동에 현명하게 녹여내는 사람이 되고 싶다. 아직은 말을 삼키는 것조차도 버거워서 말을 녹이는 재주 같은 건 없다. 언젠가는 내 뾰족한 말들도 녹는점에 닿아주려나, 다른 사람의 마음도 녹일 줄 아는 따스운 사람이 되고 싶은데, 같은 소원을 빌면서 오늘도 아침을 불러올 알약을 삼킨다. 그렇게 밤을 재운다. 진짜 동이 틀 때까지.

적당히 솔직해진다는 것

에필로그

늦은 채비

부제: 서른다섯 살에 미리 쓴 여든다섯 살 일기

노안이 찾아와 글을 읽을 수도 쓸 수도 없게 되었다. 돋보기안경으로 흐릿한 문장을 읽으려다 그만 책장을 덮어버렸다. 방금 덮어버린 책들은 내가 집필한 책들. 읽지 않아도 어느 쪽에 오탈자가 있는지, 내가 가장 사랑하는 문장들이 어느 문장들 틈에 숨어 춤을 추는지 떠올릴 수 있다. 눈을 지그시 감는다. 그들을 마음속에서 불러온다. 다행히도 그 문장들은 또렷하게 살아있다. 눈을 감으면 더 잘 보인다. 이를테면 서른 무렵의 울 엄마가 봄처녀처럼 해사하게 웃는 모습, 막 이별하고 온 나의 눈물 냄새를 맡고는 얼굴을 온통 핥아주던 어느 오후 강아지 라떼의 온기, 말다툼 끝에 눈물을 왕 하고 터뜨린 나를 귀엽다는 표정으로 바라보던 내 젊은 연인, 엄마의 눈빛을 피해 이불을 뒤집어쓰고 서로 발길질을 하며 싸우다가도 눈동자가 마주치면 웃어버리고 말던 내 동생. 그들은 다

적당히 솔직해진다는 것

어디로 사라지고 나 혼자 여기에 남았나. 내 사랑들은 꿈에만 아주 가끔 스치듯 출연하고.

더 쓰지 않은 것을, 더 말하지 않은 것을, 더 노래하지 않은 것을 후회한다. 시간이 흐를수록 선명해질 기억이자 그리움일 줄 몰랐다. 이름을 부르면 항상 거기에 있어줄 줄 알았다. 나는 여기, 너는 거기에서 이름을 불러주며 서로를 마냥 귀찮게만 할 줄 알았다. 그리우면서도 미워지는 눈빛을 이제는 보낼 곳이 없다. 멀리 있는 게 더 잘 보이게 된 요즘, 외로워질 때마다 하늘을 본다. 지팡이로 땅을 짚으며 동네 어귀를 산책한다. 내 사랑들의 냄새가 날 것 같은 곳으로 서성여보다가, 해가 뉘엿뉘엿 지면 다시 집으로 얼른 돌아간다. 밤 거미도 아직 나오지 않은 초저녁, 그들을 꿈에서 만날지도 모른다는 기대감을 품고 잠자리에 눕는다. 내가 그리워하는 이들이 적혀 있는 책을 초대장처럼 안는다. 이 세상에 내가 울부짖으며 왔을 때 활짝 웃으며 반겨준 그들을 이번에는 내가 맞아주려, 늦은 채비를 한다.

— 에필로그

추천의 글

투명할수록 선명해지는 세계를 본다

이성혁 | 작가

책을 만들고 싶다고 말하던 화용의 눈동자를 기억한다. "책을 만들고 싶다."라는 단순한 이야기보다 "나는 할 말이 있다."고 나에게 말하는 것 같았다. 선명한 의지가 보였다.

화용의 원고를 읽고 나니 화용이 하고 싶었던 이야기가 무엇인지 내 마음에 새겨졌다.

화용의 글은 어떤 거울이었다. 나 같은 청춘이 여기 또 있다고 마음이 반사했다. 화용이 서 있는 교단과 내가 걸었던 공간은 다르지만 우리는 같은 시기를 통과하고 있었다.

흔들렸던 청춘과 애써 괜찮은 척했던 날들이 스친다. 교사 안화용이 쓰는 이야기는 교사의 이야기를 넘어 교실 밖 자신의 청춘을 기록하고 있다. 늘 상대가 원하는 만큼 나의 말을 꺼냈다. 마음속에 병이 나는지도 모르게 감정을 숨겼다. 나라는 거울 앞에 서서 담대히 마주한 그 기록들이 나에게 위로를 주었다.

적당하다는 것과 솔직하다는 것을 알 수 없어서 자주 헤맸다. 어른이 무엇이기에 이렇게 진도가 나갈 수 없었던 것일까. 마음의 교과서가 있다면 원하는 만큼 펼쳐볼 수 있었을까.

이제 감히 말한다. 적당히 솔직할 필요는 없다. 이제 필터는 필요 없다. 화용의 문장으로 내 앞 거울의 얼룩을 닦는다. 투명할수록 선명해지는 세계를 본다. 마음의 교과서는 없어도 펼쳐볼 참고서가 생겼다. 옆에 두고 읽고 싶은 그런 책. 『적당히 솔직해진다는 것』은 그런 책이다.

화용의 글을 읽으면 나도 모르게 용기가 생긴다. '나는 더 나다워질 수 있다고.' 노란 형광펜으로 화용의 문장에 힘주어 친다. 그 노란 빛 문장이 나를 더 빛나게 한다.

50도 되고 100살도 되고

박은지 | 부비프책방 대표

화용을 처음 만난 건 부비프글방의 줌 화면 너머에서였다. 칭찬을 받는 것도, 하는 것도 어색해하던 사람. 그런 그가 매주 글방에 와 글을 쓰기 시작한 지 벌써 2년이 훌쩍 넘었다.

화용이 써 오는 글은 자주 웃기고 애틋했다. 가끔은 아프고 쓸쓸했다. 어떤 글을 써 오든 그는 늘 같은 표정을 지었다.

언젠가 화용이 말했다. 슬퍼서 흘리는 눈물과 화가 나서 흘리는 눈물은 맛이 다르다고. 대체 얼마나 많이 울어보았기에, 얼마나 많은 눈물이 눈에서 뺨으로, 뺨에서 입가로 흘러내렸기에 눈물 맛을 다 구별할까 싶었다. 그가 애써 지나온 인생은 얼마나 짭짤했던 것이었을까, 하고.

『적당히 솔직해진다는 것』은 오래된 우울을 안고 울다 웃다, 웃다 울다 하며 걸어온 사람의 기록이다. 거친 길을 만나면 "40부터 운이 발해 부귀영화를 누린다"는 사주풀이 쪽지를 무기처럼 손에 꼭 쥐고 지나가는 사람. 그렇게 40 되고 50 되고, 끝내 100살도 되어보고 싶은 사람이 글 너머에 있다.

나는 그가 생을 포기하지 않으려 택한 방식의 우아함이 좋다. 수치와 굴욕, 초라함에도 '글감'이라는 왕관을 씌워주는 명랑함. 밤을 어서 부르기 위해 책을 펴는 손길. 반려식물을 보며 마음의 질감을 알아채는 적당한 속도가 좋다. 살아 있는 한, 그는 언제나 존재하기에 성공한 사람일 것이다. 이 책을 읽게 될 당신 역시.

시간이 만만히 흐르지 않는 사람. 하루하루 애써 살며 배운 것들로 다시 내일을 사는 사람. 그렇게 생을 이어가다 결국 해피한 엔딩을 맞고 싶은 사람과 이 책을 함께 읽고 싶다. 그러고 나서 그들 모두와 공연장으로 우르르 몰려가고 싶다. 책에 실린 화용의 세 가지 소원 중 여전히 소원인 채로 남아있는 소원. '싱어송라이터 안화용'의 단독공연을 함께 보고 싶어서다. 마이크를 든 그의 능청스러운 멘트에 와하하 웃고, 노랫말에 찔끔 울기도 하고, 언젠가 또 나올 그의 두 번째 책을 읽고, 세 번째 네 번째 공연을 보고, 그러다 겨울이 오고 봄이 되고, 그렇게 다 같이 50도 되고 100살도 되었으면.

적당히 솔직해진다는 것

나가며

화용의 말

2021년 가을부터 이미 지나온 시간에 대한 대답을 쓰기 시작했습니다. 글방 마감 시간이 다 되어 글방 친구들에게 칭찬을 받으려 부랴부랴 쓴 글이 대부분입니다. 이제는 글방을 넘어 세상에 있는 사람들에게 제 글을 보여주고 싶더라고요. 처음엔 분명 글방 친구들에게 건네주고 싶은 작은 마음에 불과했는데 말이죠. 그 작은 마음들을 징검돌 삼아 지은 다리를 건너, 여기 제 책을 전합니다. 서가의 많은 책들 중에서도 유난히 초라하게 반짝였을 이 책의 책등을 쓸어 고이 펼쳐주셨을 당신께 고맙다고 말하고 싶습니다.

2023년 10월
곧 당신의 이야기도 펼쳐보고 싶은
안화용 드림

적당히 솔직해지는 플레이리스트

▷
QR코드를 인식하면
Youtube 플레이리스트로 연결됩니다.

적당히 솔직해진다는 것

| 1부 | 이미 지나간

헤르쯔 아날로그-Sad Paper, 12쪽 / 참솜-일곱살, 20쪽 / 노영심-보내지 못한 마음 (Piano Ver.) (Inst.), 24쪽 / 임헌일-노을은 아름다울 거예요, 27쪽 / 노영심-Thank You (Vocal), 31쪽 / 백예린-돌아가자, 35쪽 / 디어클라우드-하루만큼 강해진 너에게(Acoustic Ver.), 39쪽 / 옥상달빛-비밀얘기, 44쪽 / Kyuhyon Kim & Hyungjoo Lee-Baiser, 50쪽 / 조소정-못갖춘마디, 54쪽 / 옥수사진관-안녕, 58쪽

| 2부 | 잠시 머무르는

노영심-당신의 행운을 돌려드립니다 (Inst.), 70쪽 / 참솜-놀러와줘, 75쪽 / 디어클라우드-사라지지 말아요, 79쪽 / 수요일밴드-작은 아이, 85쪽 / 프롬-달밤댄싱, 90쪽 / 프롬-이만한게 다행, 93쪽 / NCT DREAM-덩크슛, 100쪽 / AKMU-BENCH, 104쪽 / 태연-저녁의 이유, 110쪽 / 방탄소년단-Butter, 114쪽 / 세이수미-My Problem, 118쪽 / 태연-스트레스, 122쪽 / 이영지-NOT SORRY, 129쪽 / Hilary Duff-I Am, 133쪽 / 이영훈-일종의 고백, 137쪽

| 3부 | 언젠가 마주할

온유, 이진아-밤과 별의 노래, 142쪽 / 프라이머리, 오혁-공드리, 144쪽 / 안녕하신가영-지금이 우리의 전부, 147쪽 / 아이유-어푸, 151쪽 / 림킴(김예림)-Number 1, 158쪽 / 백예린-I'll be your family!, 163쪽 / 페퍼톤스-행운을 빌어요, 168쪽 / 옥상달빛-Another Day, 171쪽 / 언니네 이발관-산들산들, 174쪽 / 언니네 이발관-순간을 믿어요, 182쪽

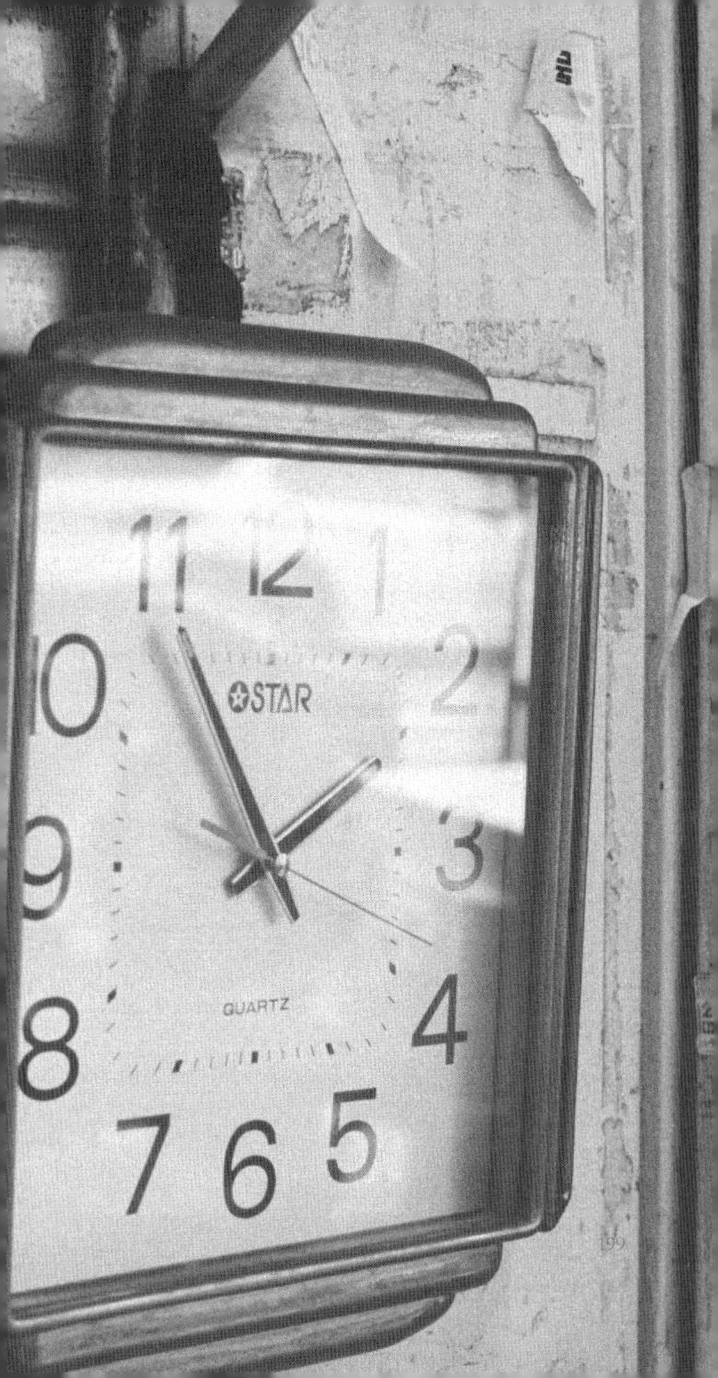
STAR
QUARTZ

적당히 솔직해진다는 것

ⓒ안화용 2023

초판 1쇄 발행 2023년 10월 7일
초판 2쇄 발행 2024년 2월 29일

지은이   안화용 @book4oto
편집   안화용
디자인   박정원 @garden_in_jardin
사진   박정원
교정교열   라일락 @time_to__think
검수   이성혁 @relaxlsh
브랜딩   독립출판듀오 안퐈(AhnXPark)
      @in_and_out_notburger
인쇄   금비피앤피

펴낸곳   (도서출판)로다
발행인   안지용
출판등록   2023년 8월 14일 제 25100-2023-000033호
전자우편   book4oto@gmail.com

ISBN 979-11-984576-0-8 (03810)